A First Bilingual Dictionary

English/Turkish

SCHOFIELD & SIMS LIMITED, HUDDERSFIELD, ENGLAND

Pronunciation Guide

There are 29 letters in the Turkish alphabet, 8 of which are vowels (a, e, i, ı, o, ö, u, ü) and the rest are consonants.

A pronunciation guide is given below each Turkish word. You may wish to practise the sounds given below.

Turkish Letter	In pronunciation guide	Sound
A, a	aa	as in armour
B, b	b	
C, c	dj	as in joint or knowledge
Ç, ç	ch	as in charge or change
D, d	d	
E, e	e	as in red or net
F, f	f	
G, g	gh	as in garden or gate
Ğ, ğ	: or '	extends the previous sound as in neighbour or weight *(never found at the beginning of a word)*
H, h	h	as in hard *(never silent)*
I, ı	e'	as in goddess *(dotless ı)*
İ, i	i, ee	as in thin or green
J, j	zh	as in pleasure
K, k	kh	as in kite or cold
L, l	l	
M, m	m	
N, n	n	
O, o	o	as in only or song
Ö, ö	œ	as in sir
P, p	p	
R, r	r	
S, s	s	as in sun or send
Ş, ş	sh	as in short or shape
T, t	t	
U, u	oo	as in put or truth
Ü, ü	ue	as in due *(or French "musée")*
V, v	v	as in very
Y, y	y	as in year or young *(always a consonant)*
Z, z	z	as in zebra

Note: The 'q' is a 'k' sound that is further back in the mouth.
The ' is a glottal stop that gives a slight pause between syllables.
The : is a more pronounced glottal stop.

A First Bilingual Dictionary

is available in ten languages:

English/Arabic	0 7217 9507 2
English/Bengali	0 7217 9500 5
English/French	0 7217 9510 2
English/Gujarati	0 7217 9501 3
English/Hindi	0 7217 9502 1
English/Mandarin Chinese	0 7217 9505 6
English/Punjabi	0 7217 9503 X
English/Turkish	0 7217 9506 4
English/Urdu	0 7217 9504 8
English/Welsh	0 7217 9509 9

0 7217 9506 4

First printed 1996

Design and typesetting by Armitage Typo/Graphics Ltd., Huddersfield

Printed and Bound in Italy by STIGE, Turin

Contents

The Body and Clothes

Vücut ve Elbiseler

Vue'djut ve Elbi'se'ler

ankle
ayak bileği
aa'yak bi'le:ee

apron
önlük
oen'luek

arm
kol
kol

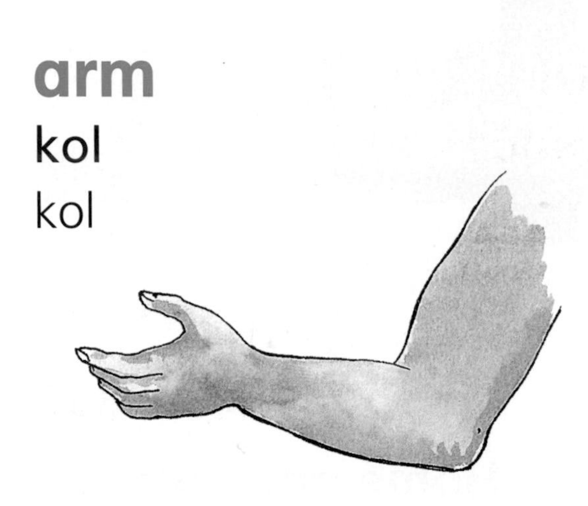

back
sırt
sert

badge
rozet
rozet

belt
kemer
ke'me:r

blouse

bulûz

bloo:z

boots

çizme

chiz'me:

buckle

toka

to'ka

buttons

düğmeler

due:me'ler

cap

kep

kep

cardigan

hırka

her'ka

cheek

yanak

yaa'nak

chest

göğüs

goe:ues

chin

çene

che'ne

coat

palto

paal'to

dress

kadın elbisesi

kaa'den el'bi'se'si

ear

kulak

koo'lak

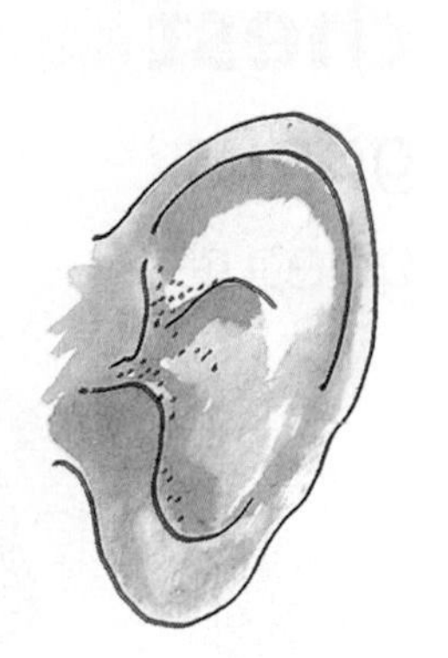

earring

küpe

qu'pe

elbow

dirsek

dir'sek

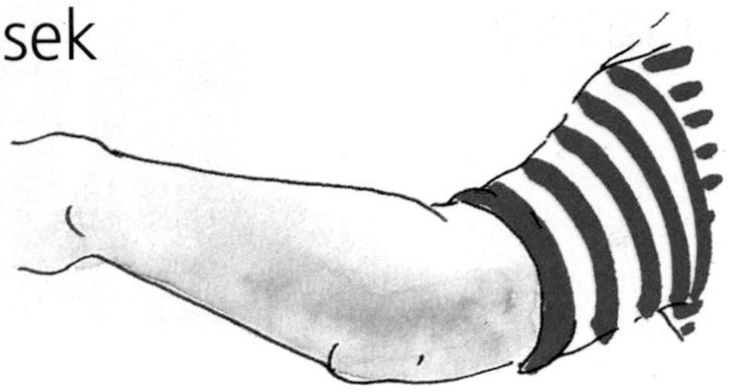

eye

göz

goez

eyebrow

kaş

kash

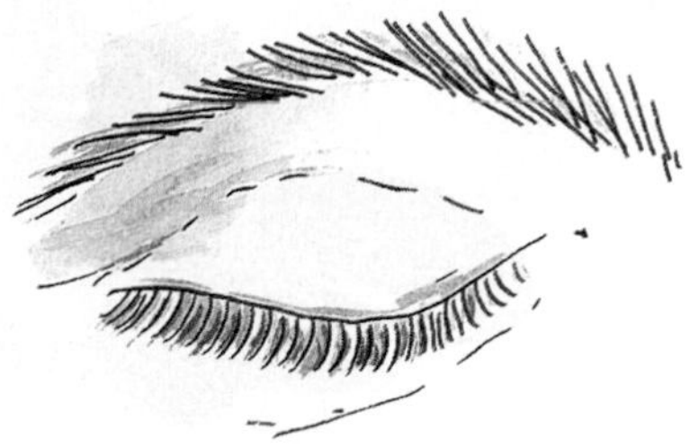

face
yüz
yuez

finger
parmak
paar'mak

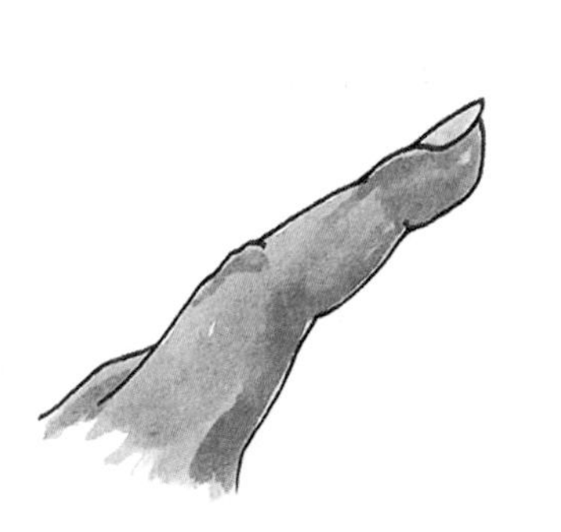

foot
ayak
aa'yak

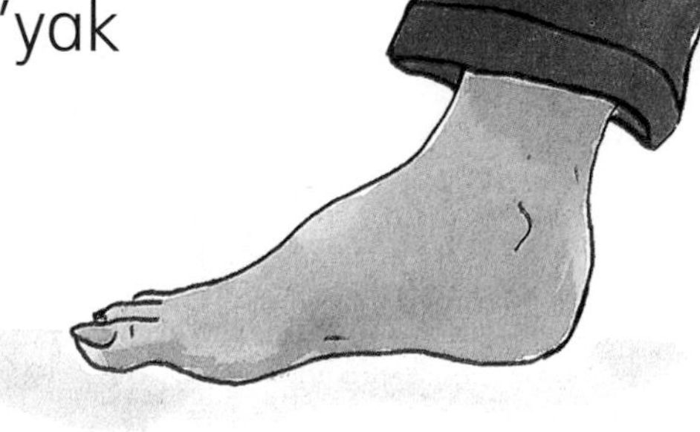

glasses
gözlük
goez'luek

gloves
eldiven
el'di'ven

hair
saç
saach

hand
el
el

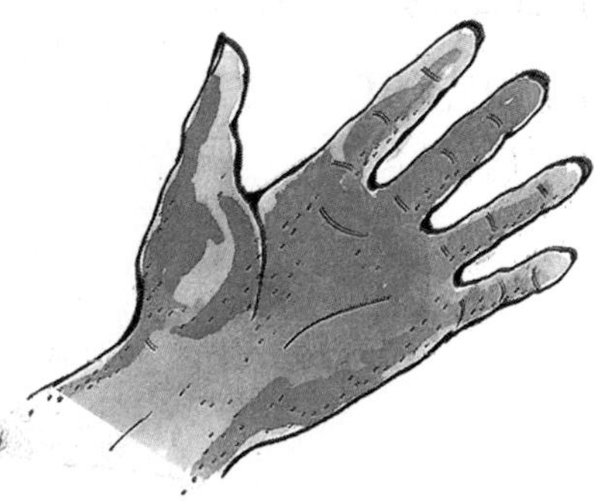

handkerchief
mendil
men'dil

hat
şapka
shap'ka

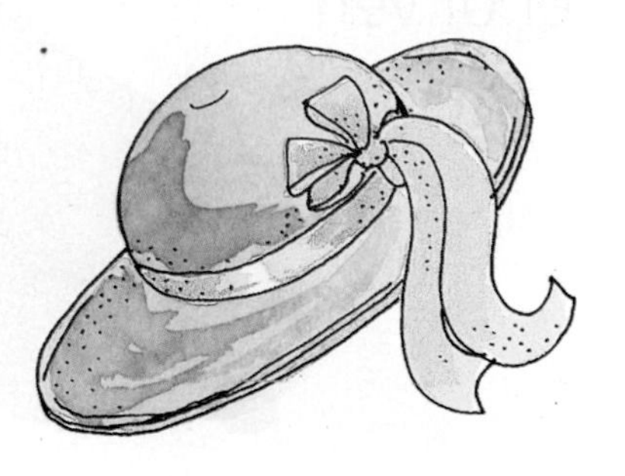

head
baş
bash

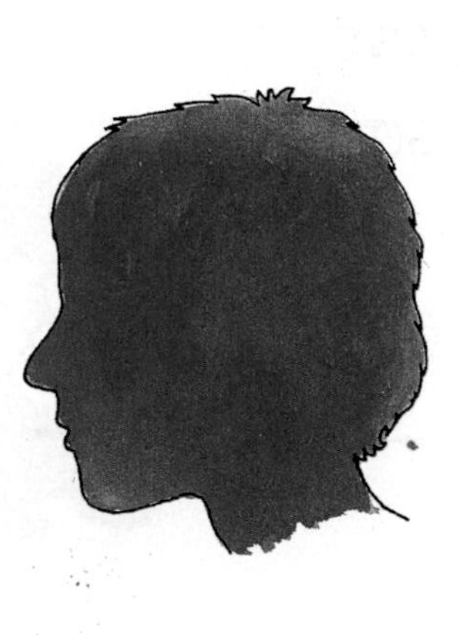

helmet
miğfer
mee:fer

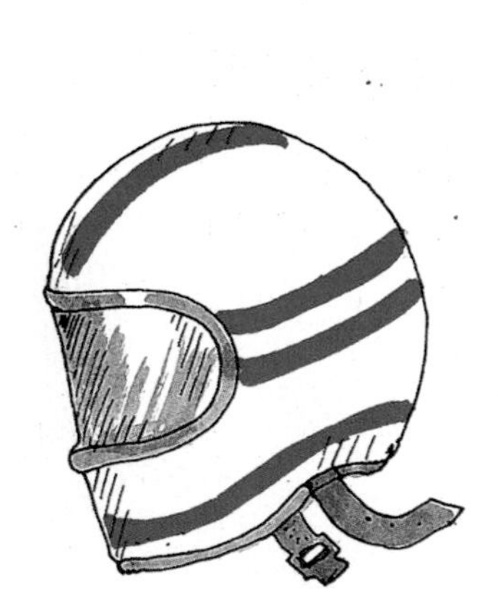

jacket
ceket
dje'ket

jeans
blucin
blu'djeen

jumper
süveter
su've'ter

knee
diz
diz

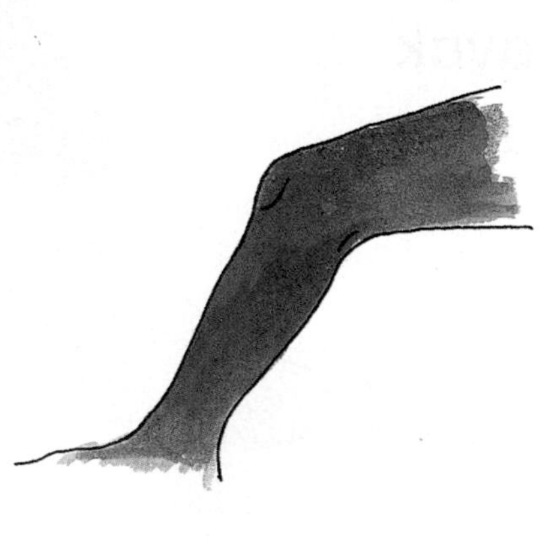

laces
ayakkabı bağı
aayak'ka'be
ba:e

leg

bacak

baa'djak

lips

dudaklar

doo'dak'lar

mouth

ağız

a:ez

nail

tırnak

ter'nak

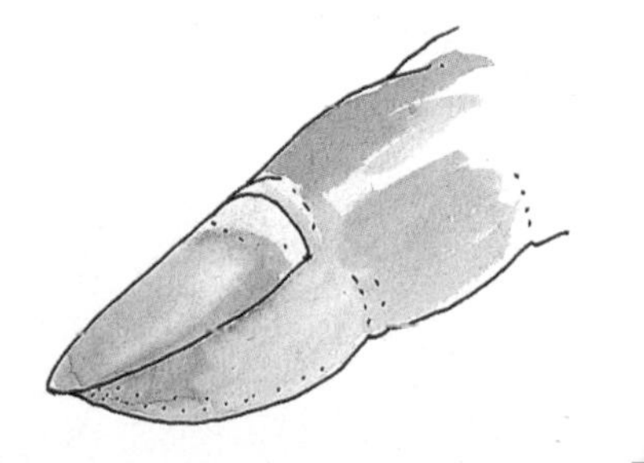

neck

boyun

bo'yoon

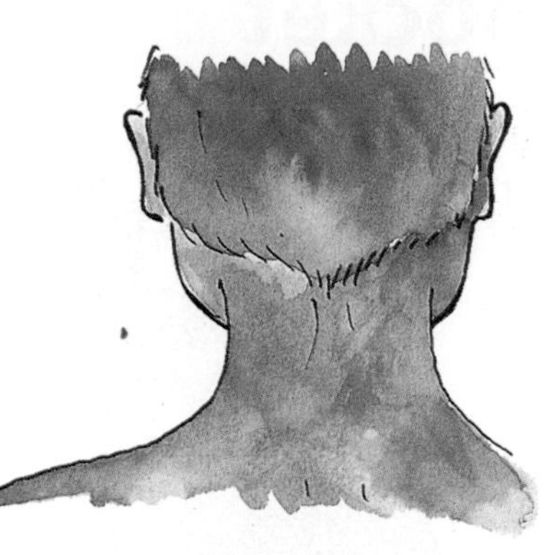

necklace

kolye

kol'ye

nightdress

gece elbisesi

ge'dje
elbi'se'si

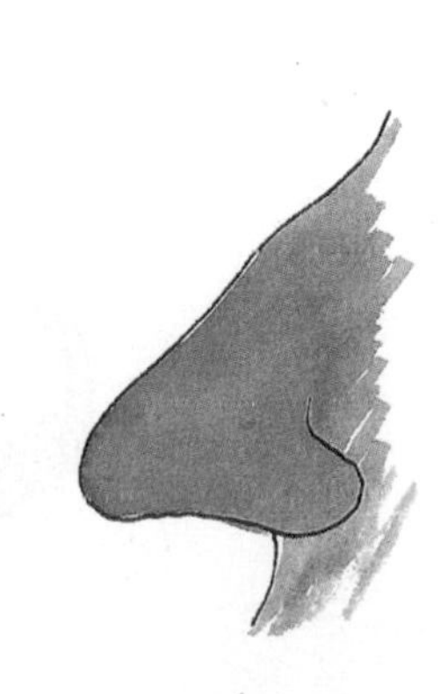

nose

burun

boo'roon

pocket

cep

djep

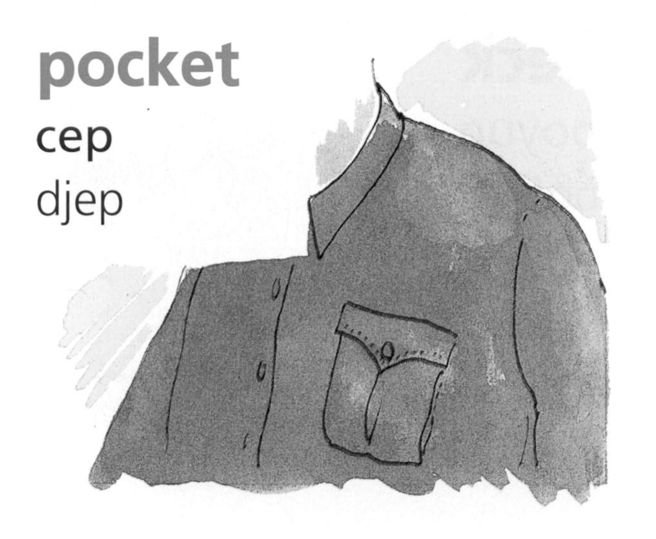

purse

cüzdan

djuez'daan

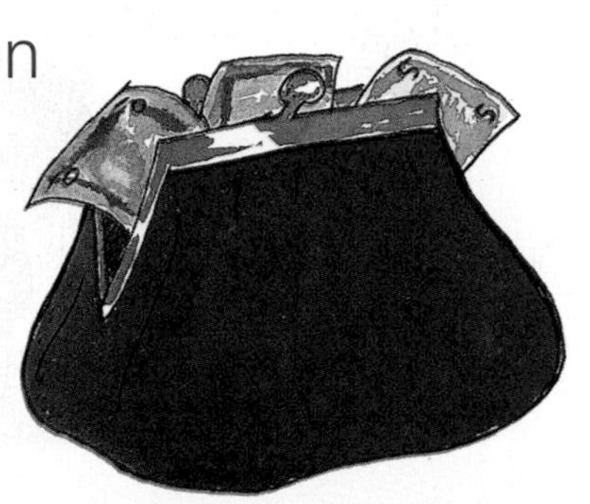

pyjamas

pijama

pee'dzaa'ma:

ring

yüzük

yue:zuek

sari

sari

sa're

scarf

boyun atkisi

bo'yoon aat'ke'se

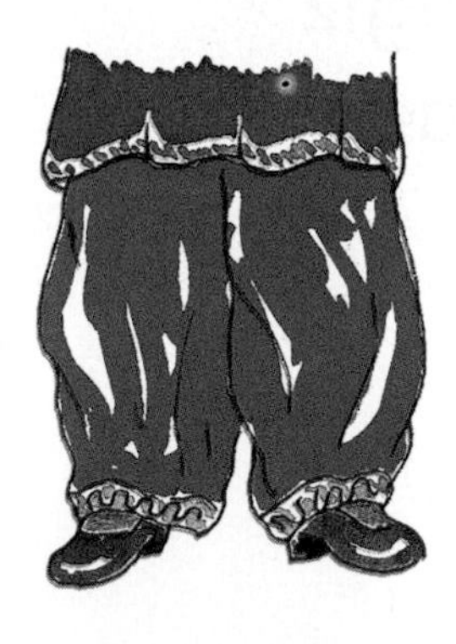

shalwar

şalvar

shal'vaar

shirt

gömlek

ghoem'lek

shoes

ayakkabı

aayak'kaa'b'e

shorts

şort

short

shoulder

omuz

o'muz

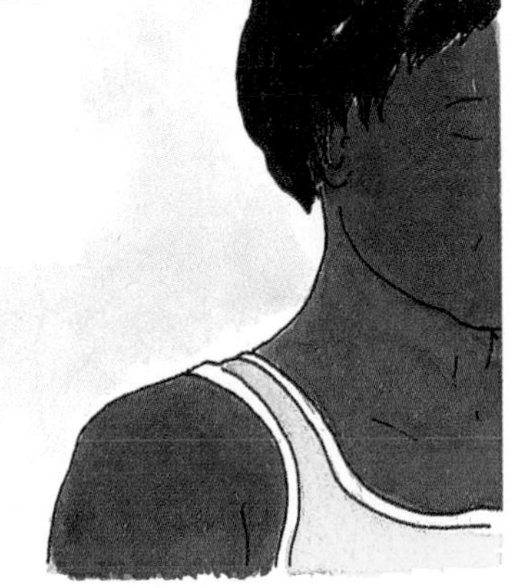

skirt

etek

e'tek

sock

çorap

cho'raap

sweatshirt

eşofman üstü

e'shof'maan
ues'tue

swimsuit

mayo

maio

teeth

dişler

dishler

thumb
baş parmak
bash
par'maak

tie
kravat
ke'ra'vaat

tights
külotlu çorap
kue'lot'lue
cho:raap

tongue
dil
dil

trainers
**spor
ayakkabısı**
spor aa'yak'
ka'be'se

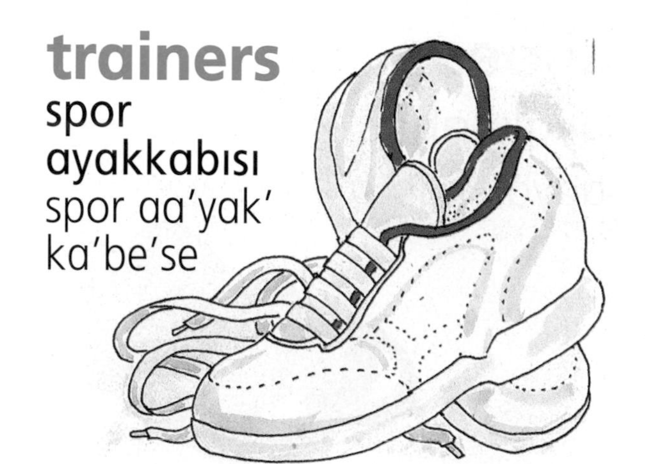

trousers
pantalon
paan'ta'lo:n

T-shirt
tişört
tee'shoert

tummy
mide
mee'de'

turban
baş örtüsü
bash
oer'tue'sue'

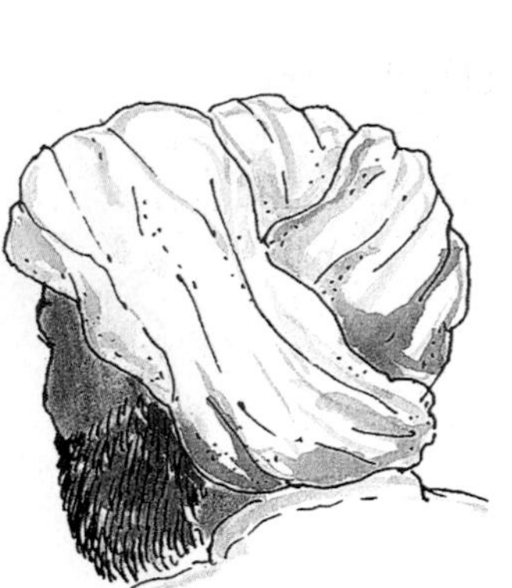

umbrella
şemsiye
shem'si'ye:

uniform
okul kıyafeti
o'kool
ke'ya'fe'te

vest
atlet fanilâ
aat'let
fa:ni'laa

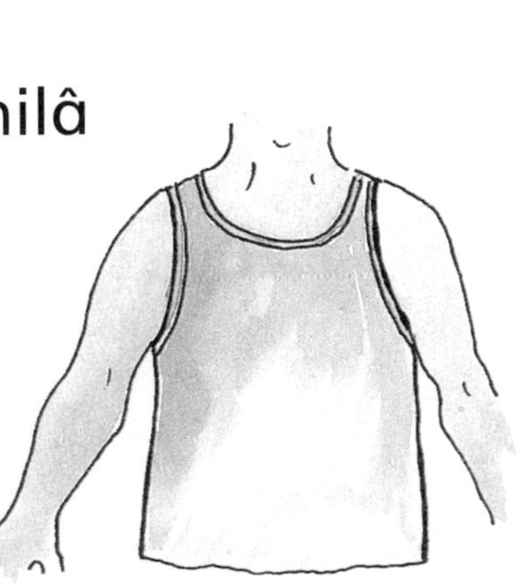

watch
saat
sa:at

wellingtons
uellingtın çizmeleri
u'elling'ten
chiz'me'le're

wrist
bilek
bi'lek

zip
fermuar
fer'moo'aar

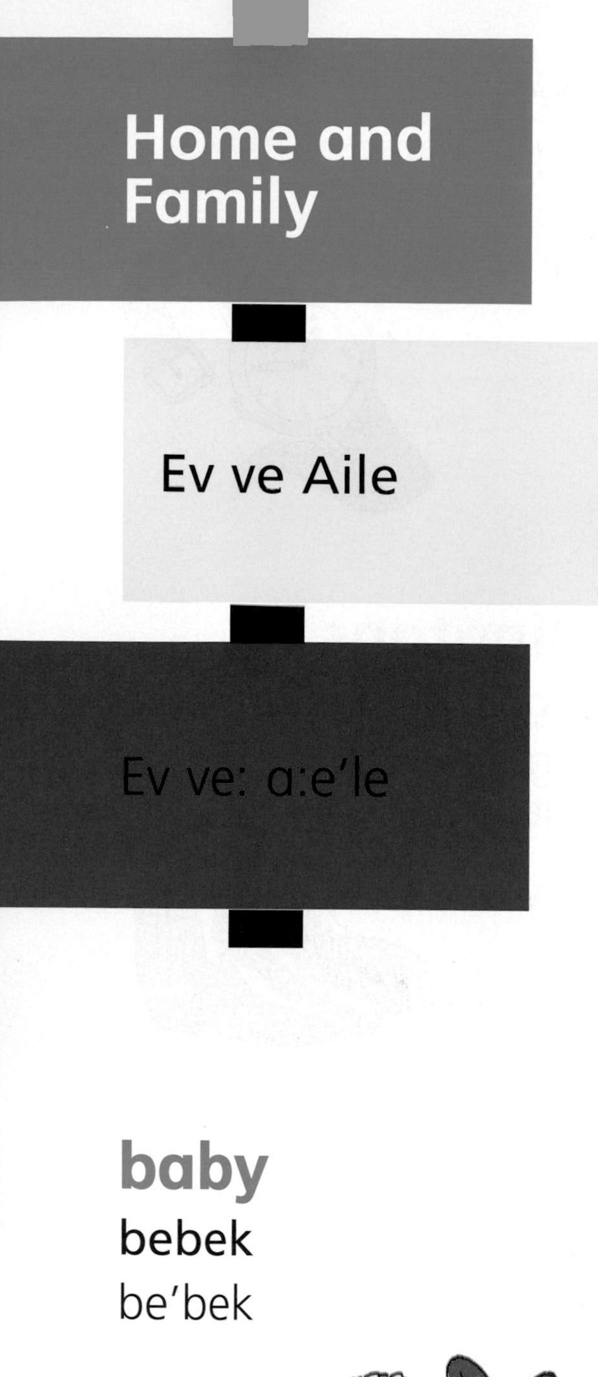

Home and Family

Ev ve Aile

Ev ve: a:e'le

baby

bebek

be'bek

bandage

sargı

sar'ghe

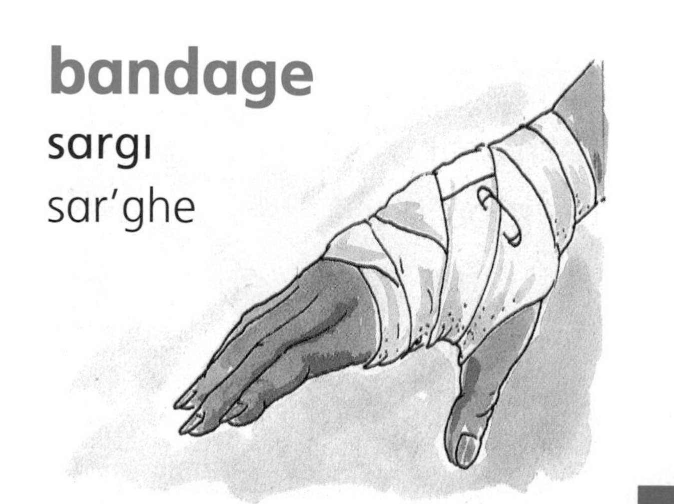

bath

banyo

baan'yo:

battery

pil

pil

bed

yatak

ya'taak

bell

zil

zil

book

kitap

ke'taap

bottle

şişe

shi'she:

bowl

kâse

qa:se:

boy

erkek çocuk

er'kek
cho'djoock

brother

erkek kardeş

er'kek
kar'desh

brush

fırça

fer'chaa

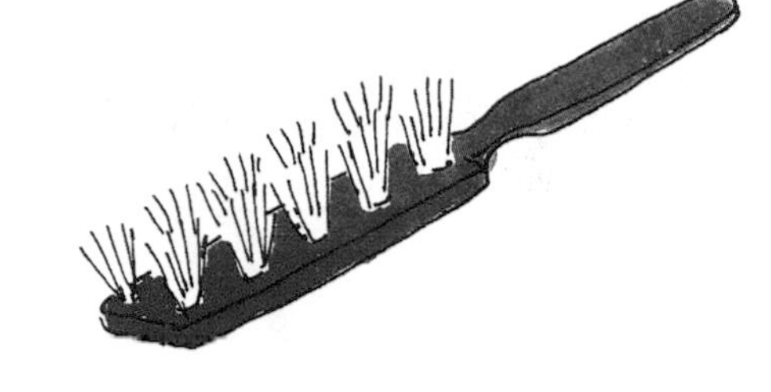

bucket

kova

ko'vaa

calendar

takvim

taak'veem

carpet
halı
ha:le'

chair
sandalye
saan'dal'ye:

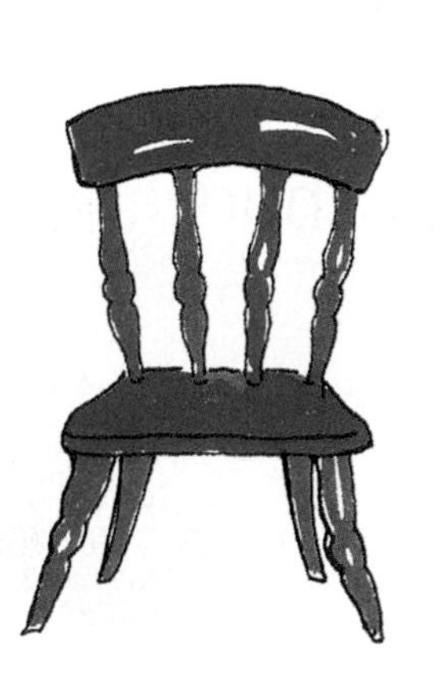

children
çocuklar
cho'djuk'laar

chimney
baca
ba'dja

clock
saat
sa:at

cooker
ocak
o'djack

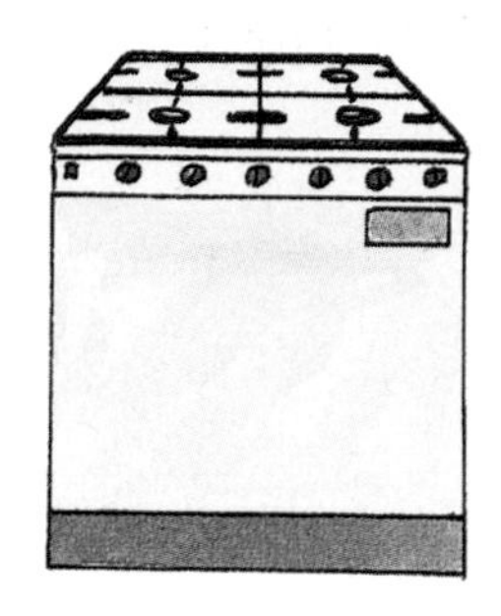

cup
bardak
baar'dak

cupboard
dolap
do'laap

curtains
perde
per'de:

cushion
minder
min'de:r

daughter
kızı
ke'zhe:

dishwasher
bulaşık makinesi
boo'laa'shek
maa'ki'ne'si

door
kapı
kaa'pe

drawer
çekmece
check'me'dje

dustbin
çöp bidonu
choep
bi'do'noo

father
baba
baa'ba

fence
çit
chit

fire
ateş
aa'tesh

floor
döşeme
doe'she'me:

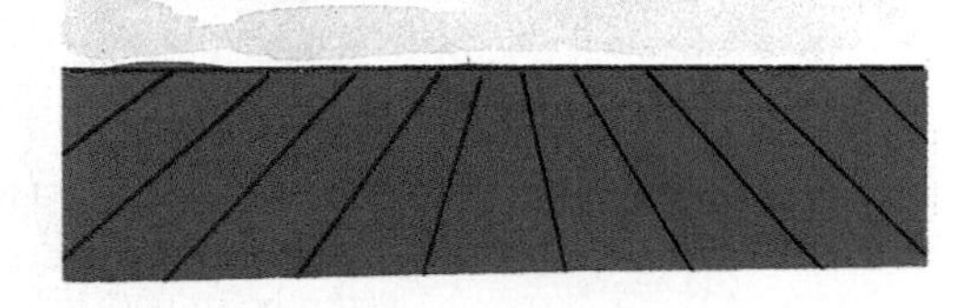

garage
garaj
gaa'raazh

garden
bahçe
bah:che

gate
dış kapı
desh kaa'pe

girl
kız çocuk
kezh
cho'djook

glass
bardak
baar'dak

glue
zamk
zaamk

grandfather
dede
de'de

grandmother
nine
ne'ne:

hook
çengel
chen'ghel

hose
hortum
ho:r'toom

house
ev
ev

iron
ütü
ue'tue

jug
sürahi
sue'raa'he

kettle
çaydanlık
chaay'dan'lek

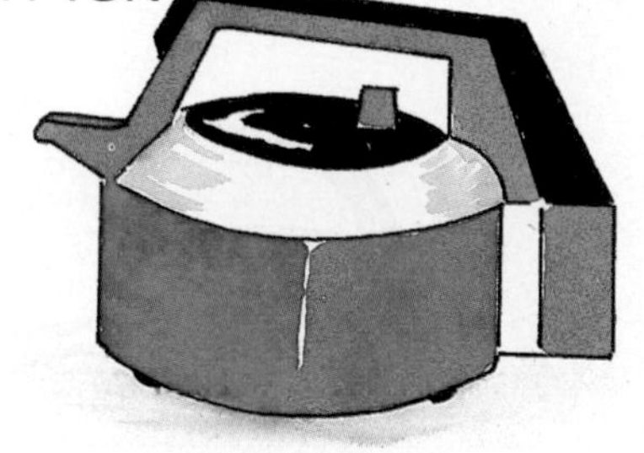

key
anahtar
aa'nah'taar

knife
bıçak
be'chaak

ladder
merdiven
mer'di'ven

lamp
lamba
laam'ba:

lawn
çimen
chi'men

light bulb
ampul
aam'pool

magazine
dergi
der'ghi

man

adam

aa'daam

match

kibrit

kib'rit

medicine

ilâç

ee'laach

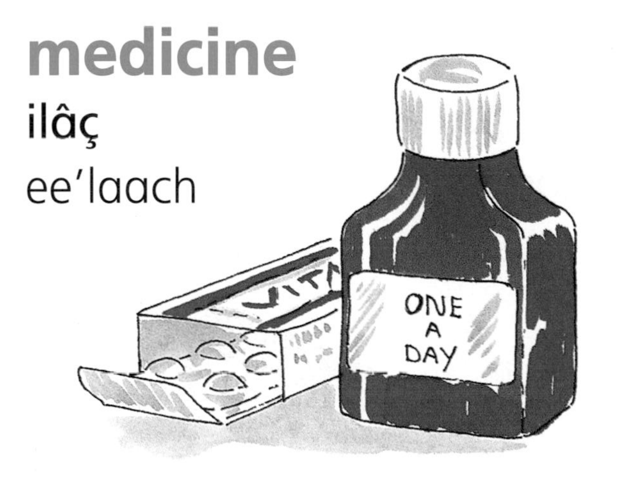

microwave

mikro dalgalı fırın

micro daal'gha'le fe'ren

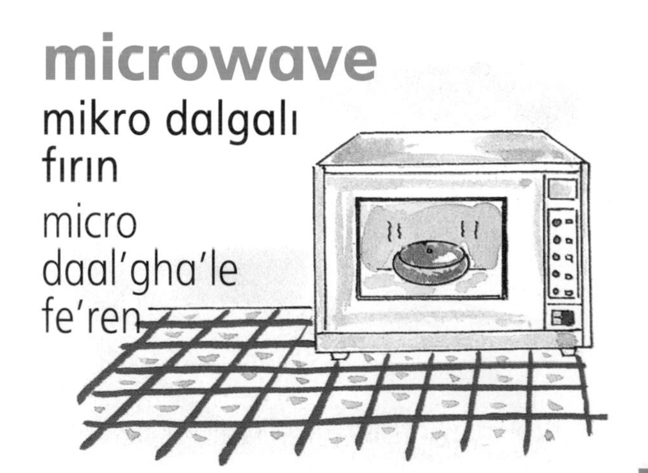

mirror

ayna

aay'na

money

para

paa'ra

mother

anne

aan'ne

mug

kulplu bardak

koolp'loo baar'dak

needle
iğne
i:ne:

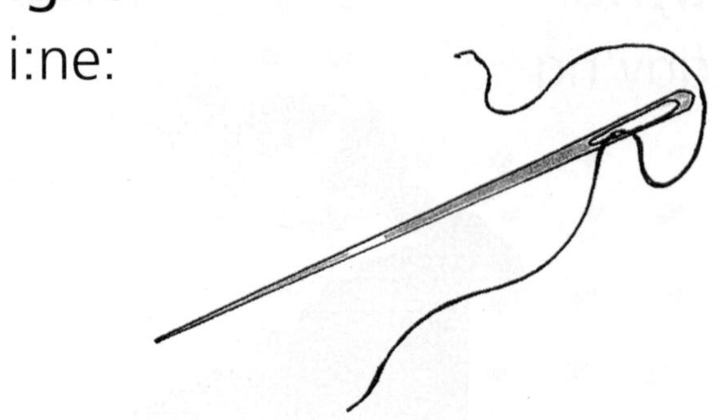

newspaper
gazete
gaa'ze'te:

paint
boya
bo'yaa

pan
tencere
ten'dje're

party
parti
paar'ti

path
patika
paa'ti'kaa

pencil
kurşun kalem
koor'shoon kaa'lem

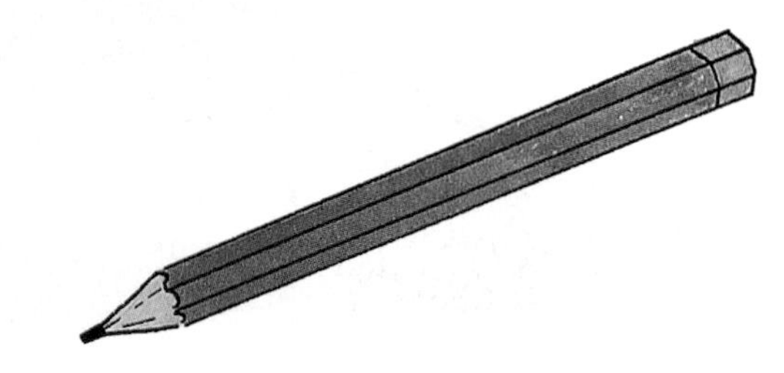

photograph
fotoğraf
fo'to:'raaf

picture

resim

re'seem

pillow

yastık

yaas'tek

pin

toplu iğne

top'loo i:ne

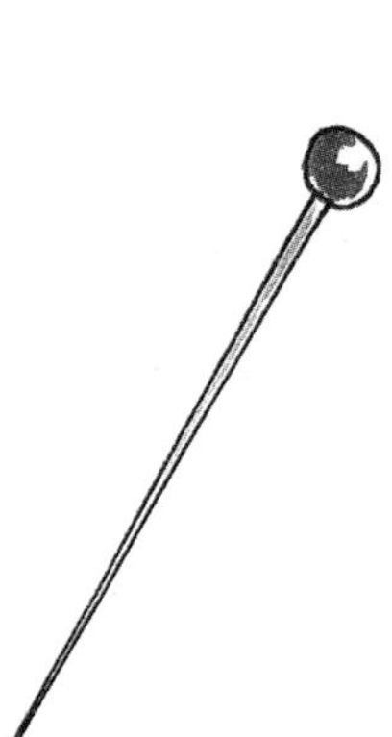

plate

tabak

taa'baak

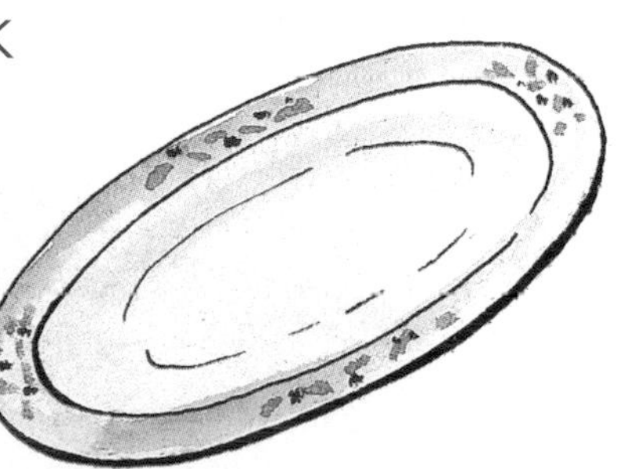

plug

fiş

fish

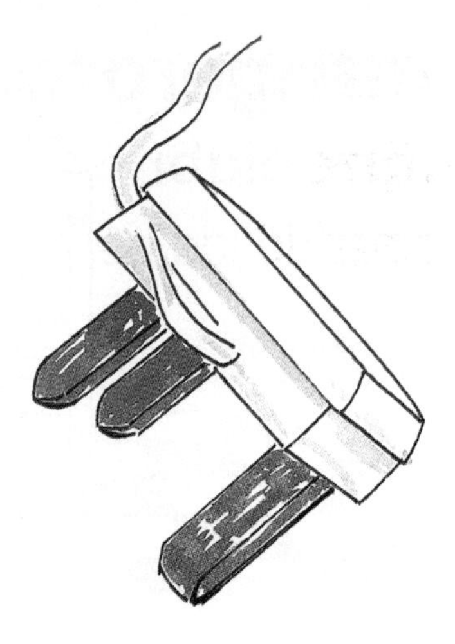

quilt

yorgan

yor'ghaan

radio

radyo

raad'yo:

razor

traş makinesi

te'rash
ma:ki'ne'si

refrigerator
buzdolabı
booz'do'laa'be

roof
çatı
cha:te

rubbish
çöp
choep

rug
kilim
ki'lim

ruler
cetvel
djet've:l

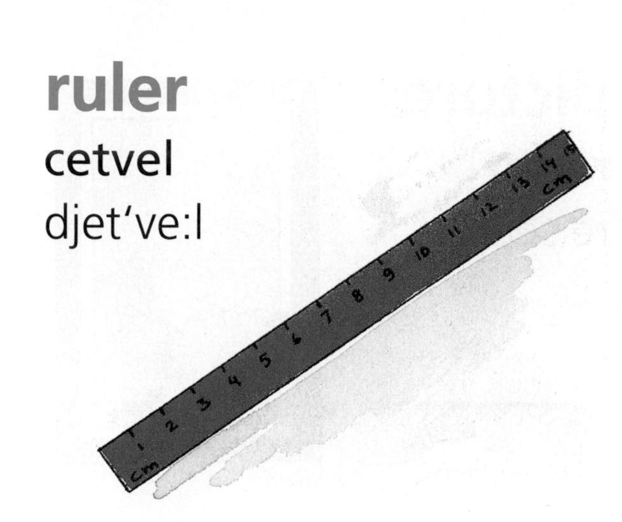

saucer
bardak altlığı
baar'dak aalt'le:e

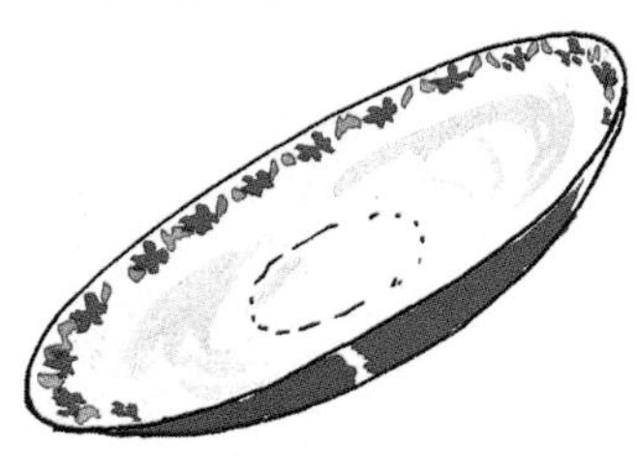

scales
terazi
te'raa'zi

scissors
makas
ma'kaas

settee

kanepe

kaa'ne'pe:

shed

sundurma

soon'door'ma

shelf

raf

ra:f

shower

duş

doosh

sink

lavabo

laa'va'bo

sister

kız kardeş

kez kaar'desh

soap

sabun

saa'boon

son

oğul

o:ul

sponge
sünger
suen'gher

spoon
kaşık
kaa'shek

stairs
merdiven
mer'di'ven

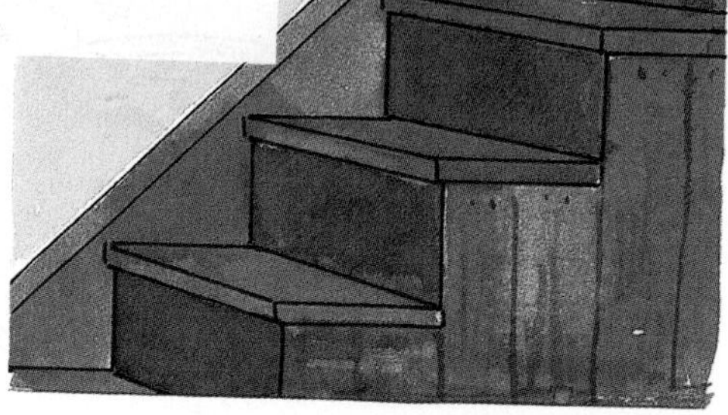

stool
tabure
ta'boo're

suitcase
bavul
baa'vool

table
masa
maa'sa

tap
musluk
moos'look

telephone
telefon
te'le'fo:n

television

televizyon

te'le'viz'yo:n

tent

çadır

chaa'der

tin

konserve kutusu

kon'se:r've koo'too'su

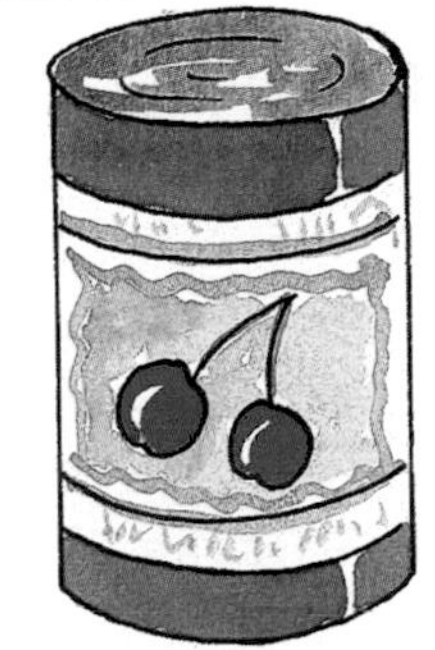

toaster

ekmek kızartma makinesi

ek'mek ke'zaart'ma ma'ki'ne'si

toilet

tuvalet

too'va'let

toothbrush

diş fırçası

dish fer'chaa'se

toothpaste

diş macunu

dish maa'djoo'noo

torch

cep feneri

djep fe'ne'ri

towel
havlu
hav'loo

vacuum cleaner
elektrik süpürgesi
e'lek'trick
sue'puer'ghe'si

video recorder
video
vi'de'o

washing-machine
çamaşır makinesi
cha'maa'sher
maa'ki'ne'si

wedding
düğün
du:uen

window
pencere
pen'dje're:

woman
kadın
kaa'den

wool
yün
yue:n

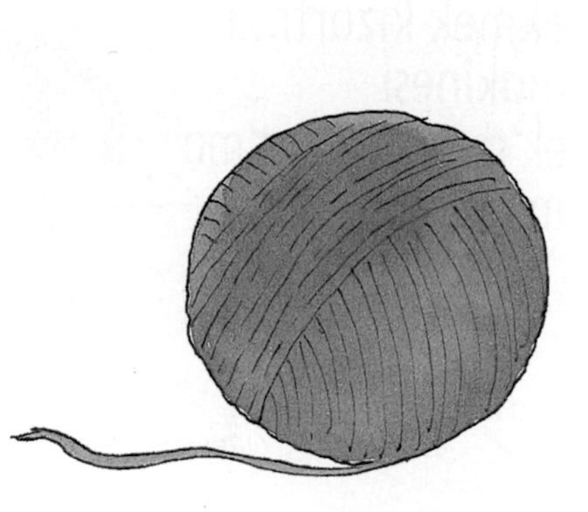

Food and Drink

Yiyecek ve İçecek

Yi'ye'djek ve: İche'djek

apple
elma
el'maa

banana
muz
mooz

biscuit
bisküvi
bis'kue'vi

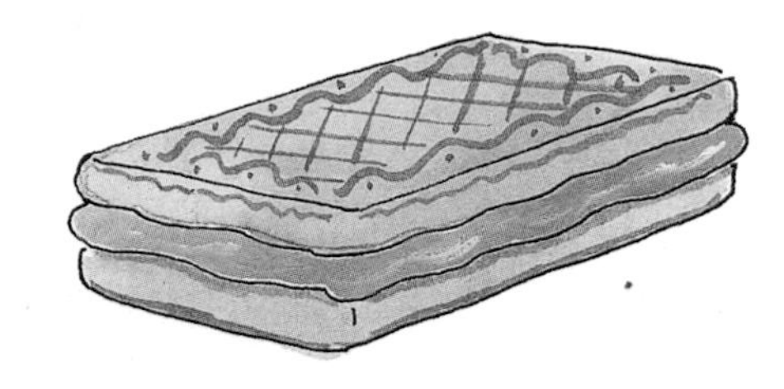

bread
ekmek
ek'mek

butter
yağ
ya:

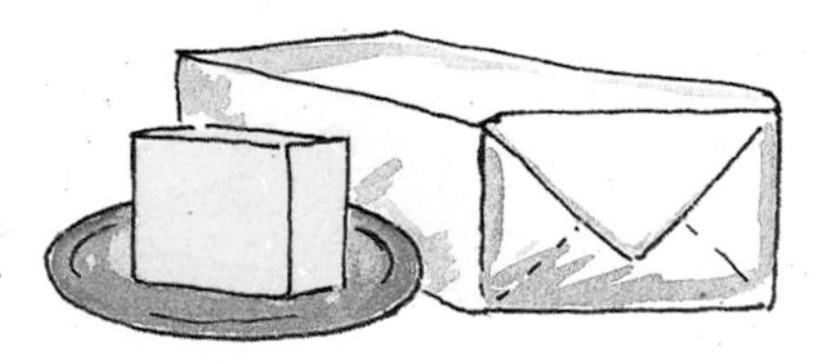

cabbage
lahana
la'ha'naa

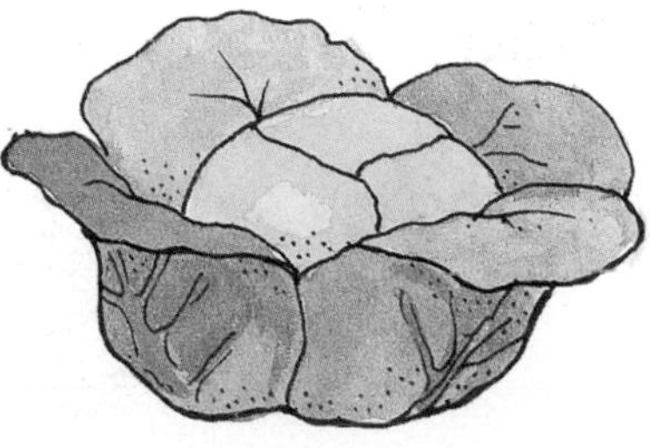

cake

pasta

paas'ta

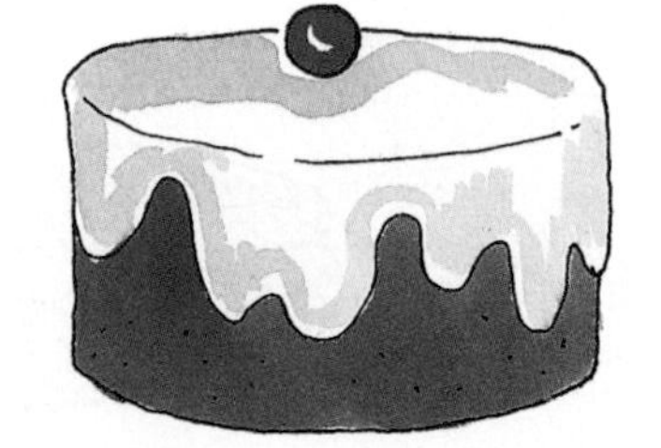

carrot

havuç

haa'vooch

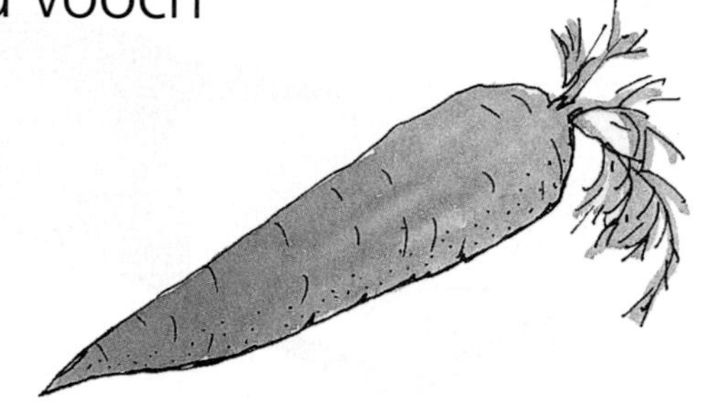

cauliflower

karnabahar

kaar'na'ba'haar

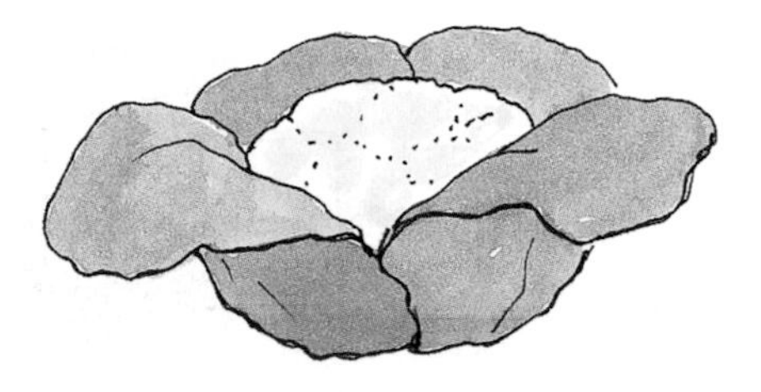

cereal

kahvaltılık tahıl ezmesi

kaah'val'te'lek ta:hel ezh'me'si

chapatti

çapati

cha'paa'ti

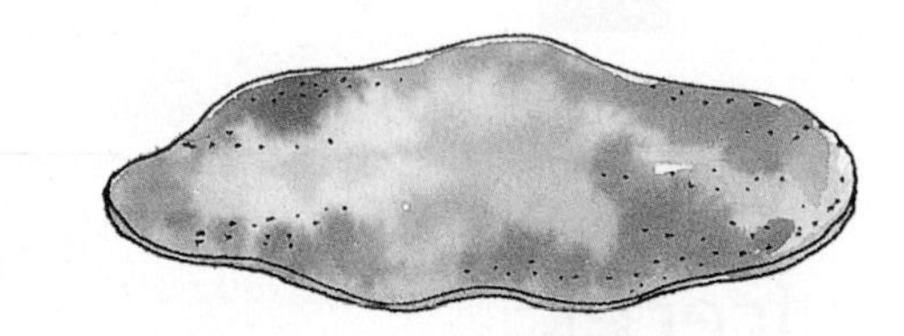

cheese

peynir

pey'nir

cherry

kiraz

ki'raz

chocolate

çikolata

chi'ko'la'ta

coffee
kahve
kaah've

cream
kaymak
kaay'maak

crisps
cips
djips

cucumber
hıyar
he'yaar

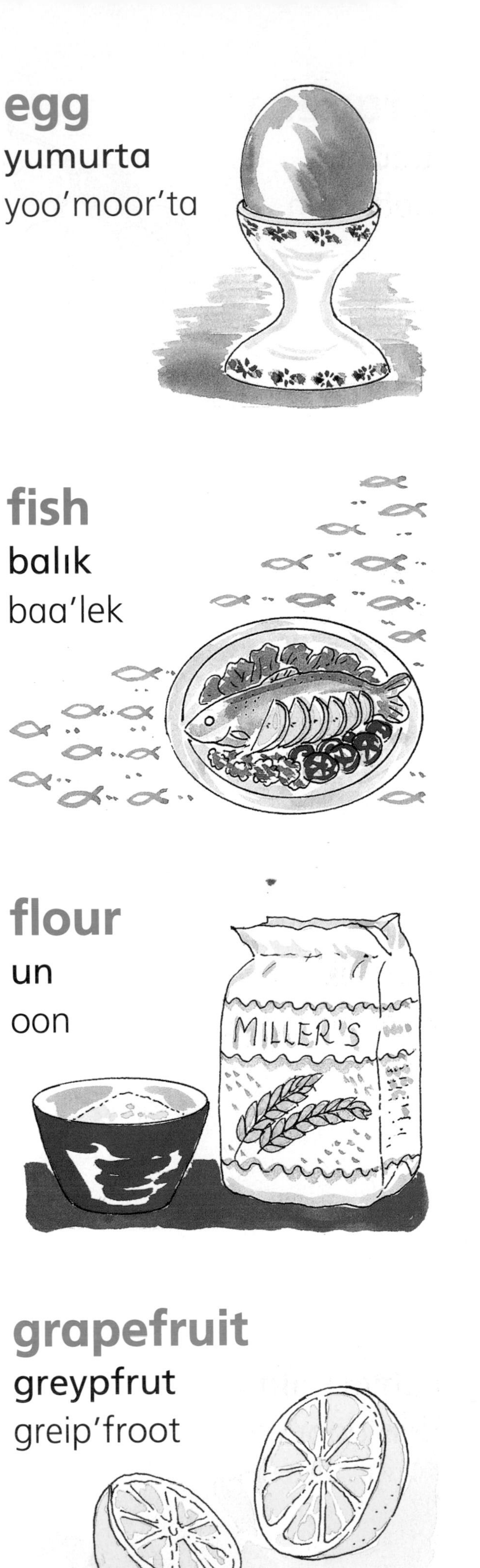

egg
yumurta
yoo'moor'ta

fish
balık
baa'lek

flour
un
oon

grapefruit
greypfrut
greip'froot

grapes
üzüm
ue'zue:m

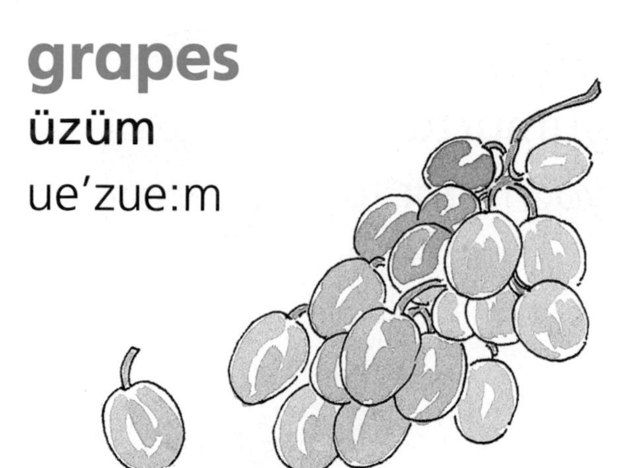

hamburger
hamburger
haam'boor'gher

honey
bal
baal

ice-cream
dondurma
don'door'maa

jam
reçel
re'chel

jelly
jöle
zhoe'le:

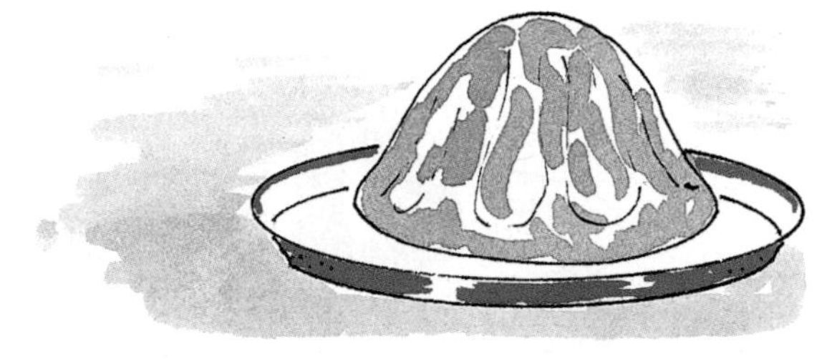

lemon
limon
li'mon

lettuce
marul
maa'rool

loaf

somun ekmek

so'moon ek'mek

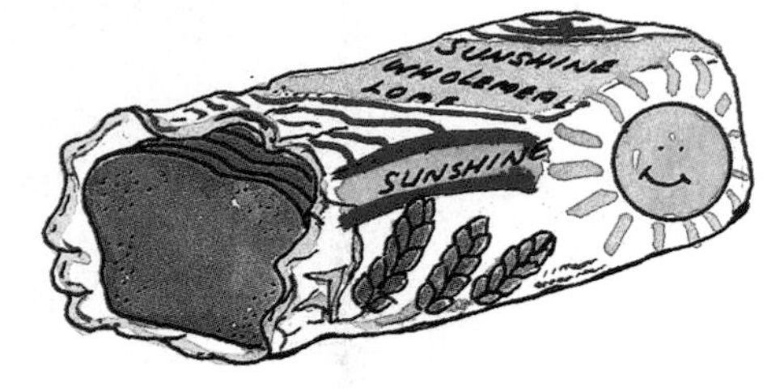

margarine

margarin

mar'gha'reen

meat

et

et

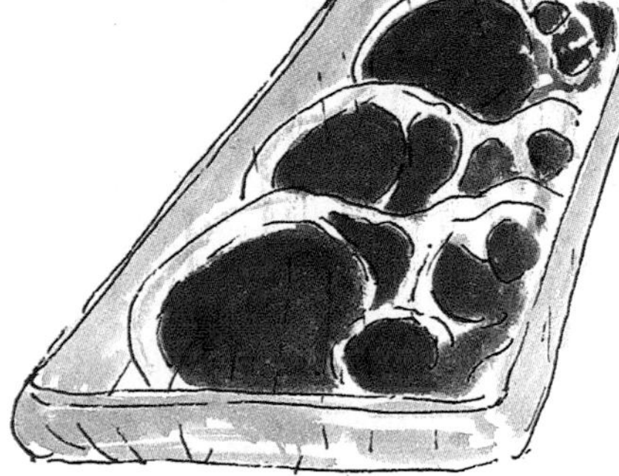

melon

kavun

ka'voon

milk

süt

suet

mushroom

mantar

maan'taar

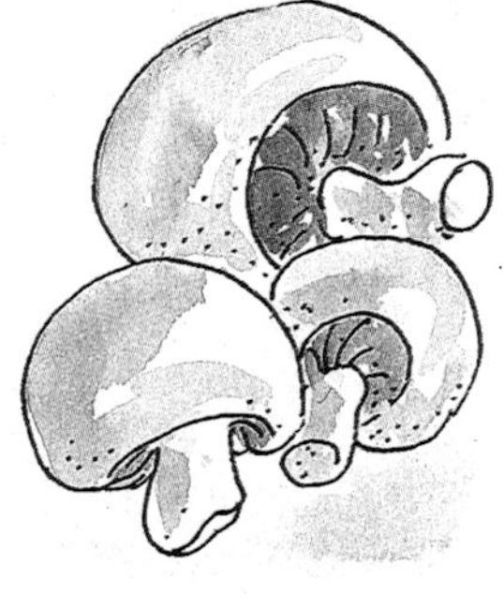

onion

soğan

so:aan

orange

portakal

por'ta'kaal

pancake
gözleme
goez'le'me

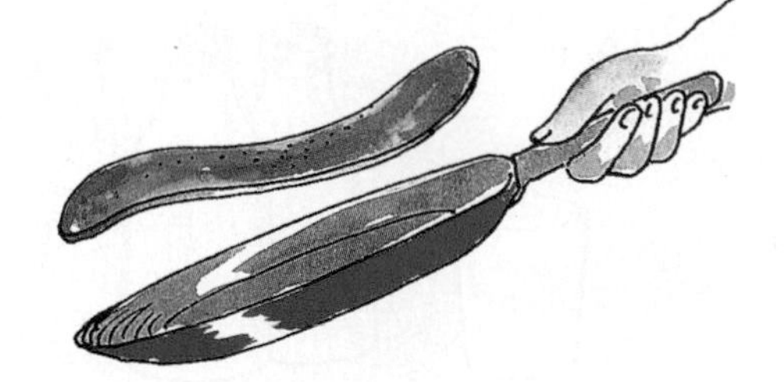

pasta
makarna
ma'kaar'na:

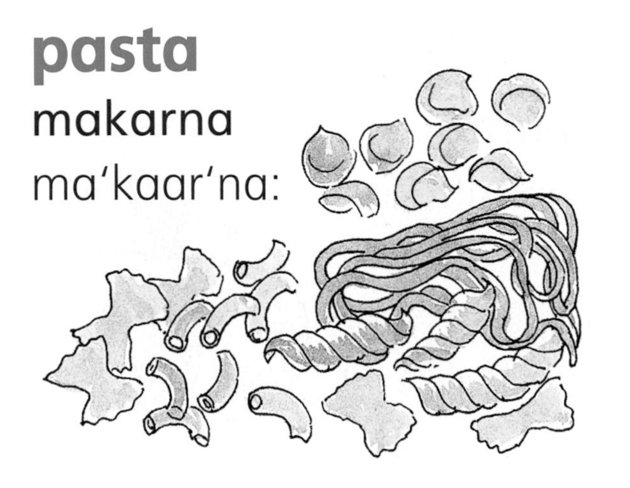

peach
şeftali
shef'taa'li

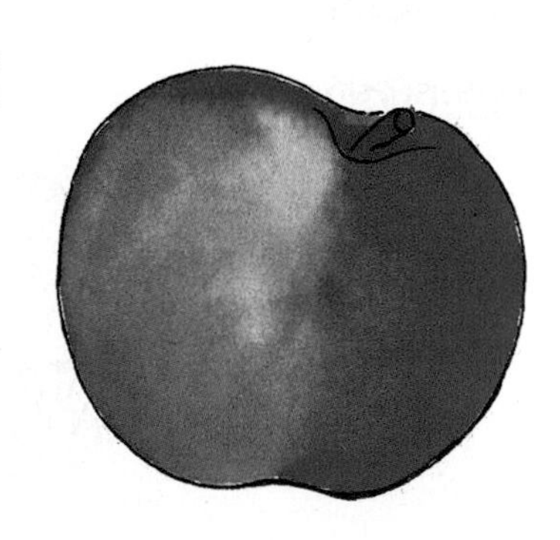

pear
armut
aar'moot

peas
bezelye
be'zel'ye

pepper
biber
bee'be:r

pickle
turşu
toor'shoo

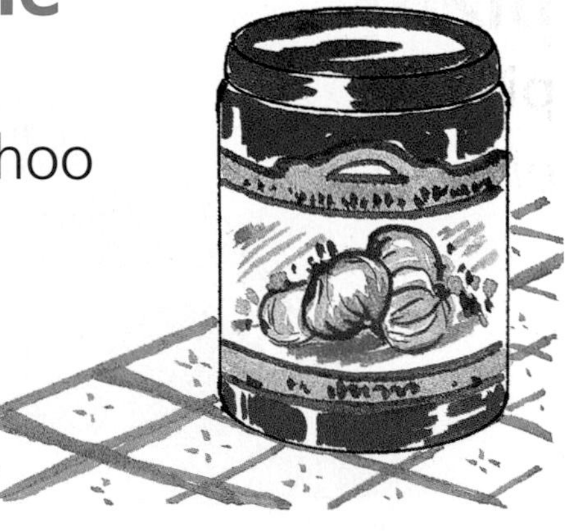

picnic
piknik
pik'nik

pie

börek

boe'rek

pineapple

ananas

a'na'nas

pizza

pizza

piz'zaa

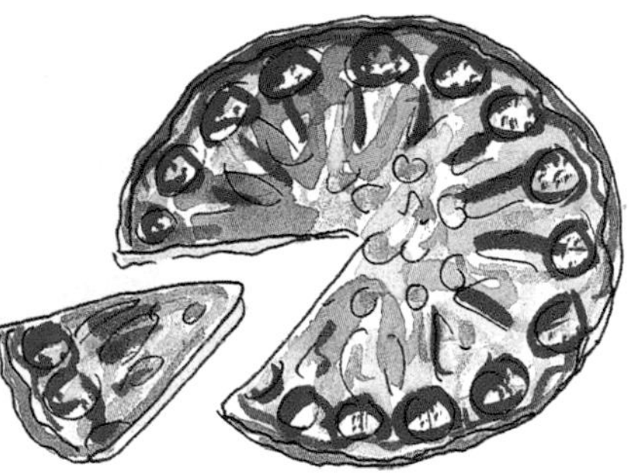

plum

erik

e'rik

pop

gazoz

ghaa'zoz

potato

patates

pa'ta'tes

pudding

puding

poo'ding

rice

pilav

pi'laav

Living Creatures

Canlı
Varlıklar

Djan'le
Vaar'lek'laar

badger

porsuk

po:r'sook

bear

ayı

aa'ye

beetle

böcek

boe'djek

bird

kuş

koosh

butterfly

kelebek

ke'le'bek

camel

deve

de've

cat

kedi

ke'di

caterpillar

tırtıl

ter'tel

cow

inek

ee'nek

crab

yengeç

yen'ghech

crocodile

timsah

tim'saah

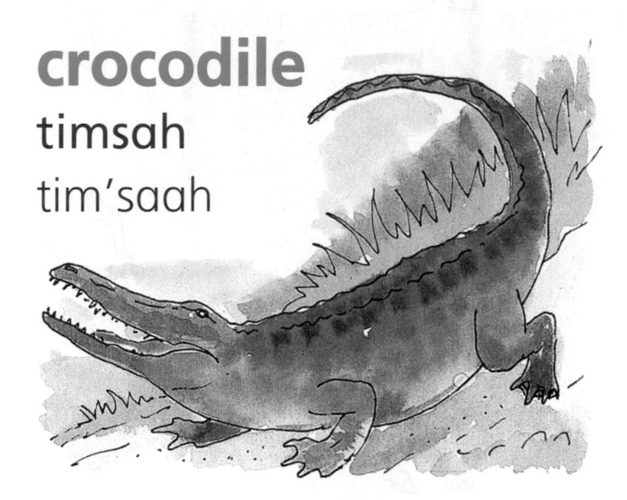

deer

geyik

ghe'yik

dog

köpek

koe'pek

dolphin

yunus

yoo'noos

donkey
eşek
e'shek

duck
ördek
oer'dek

eagle
kartal
kaar'tal

elephant
fil
fil

fish
balık
baa'lek

fly
sinek
si'nek

fox
tilki
til'ki

frog
kurbağa
koor'ba:a

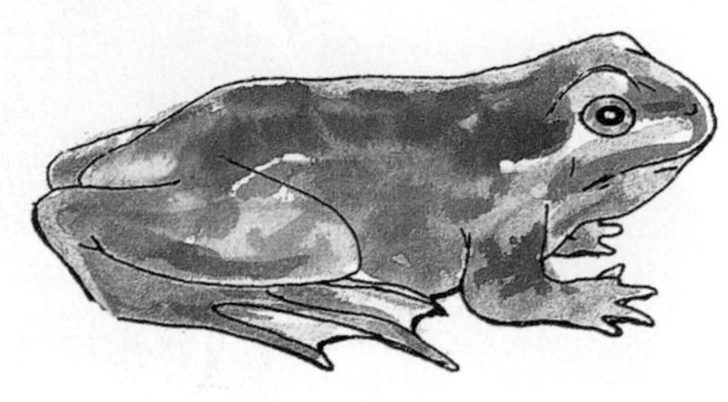

giraffe
zürafa
zue'raa'faa

goat
keçi
ke'chi

goldfish
süs balığı
sues ba'le:e

goose
kaz
kaaz

gorilla
goril
go'reel

guinea-pig
kobay
ko'baay

hedgehog
kirpi
kir'pi

hen
tavuk
ta'vook

hippopotamus

su aygırı

soo
aay'ghe're

horse

at

aat

insect

böcek

boe'djek

kangaroo

kanguru

kaan'ghoo'roo

ladybird

uğur böceği

oo:r boe'dje:e

leopard

leopar

le'o'paar

lion

aslan

aas'laan

lizard

kertenkele

ker'ten'ke'le

lobster
istakoz
is'taa'koz

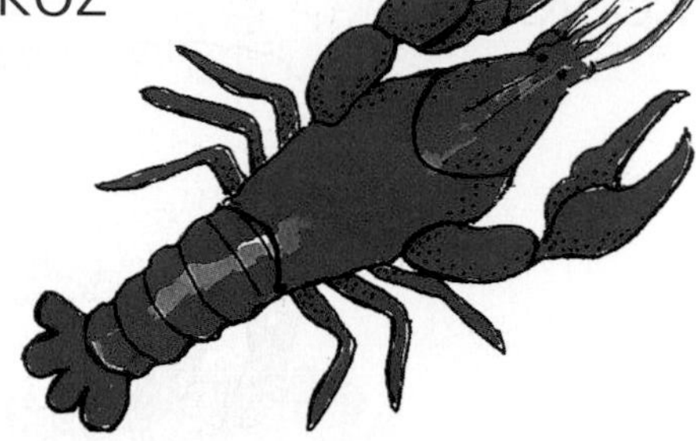

monkey
maymun
maay'moon

mouse
sıçan
se'chaan

octopus
ahtapot
aah'ta'po:t

ostrich
devekuşu
de've'koo'shoo

owl
baykuş
baay'koosh

panda
panda
paan'daa

parrot
papağan
pa'pa:an

penguin

penguen

pen'ghoo:en

rabbit

tavşan

taav'shan

rhinoceros

gergedan

gher'ghe'daan

shark

köpekbalığı

koe'pek'ba:le':e

sheep

koyun

ko'yoon

snail

salyangoz

saal'yan'ghoz

snake

yılan

ye'laan

spider

örümcek

oe'ruem'djek

squirrel

sincap

sin'djaap

wasp

eşek arısı

e'shek are'se

swan

kuğu

koo'oo

whale

balina

ba'li'naa

tiger

kaplan

kaap'lan

wolf

kurt

koort

tortoise

kaplumbağa

kaap'loom'ba:a

zebra

zebra

zeb'raa

Plants

Bitkiler

Bit'ki'ler

bush
çalı
chaa'le

cactus
kaktüs
kaak'tues

daffodil
zerrin
zher'rin

daisy
papatya
paa'pat'ya

flower
çiçek
chi'chek

forest
orman
or'maan

grass
çimen
chi'men

leaf
yaprak
yaap'rak

root
kök
koek

rose
gül
guel

seaweed
yosun
yo'soon

seed
tohum
to'hoom

sunflower
ayçiçeği
aay'chi'che:e

tree
ağaç
a:ach

Weather and Seasons

Hava ve Mevsimler

Haa'va ve Mev'sim'ler

autumn
sonbahar
son'ba'haar

cloud
bulut
boo'loot

flood
sel
sel

fog
sis
sis

rain
yağmur
ya:moor

rainbow
gökkuşağı
goek'koo':sha:e

sky

gökyüzü

goek'yue'zue

snow

kar

kaar

spring

ilkbahar

ilk'ba'haar

storm

fırtına

fer'te'na:

summer

yaz

yaaz

sun

güneş

gue'nesh

wind

rüzgâr

ruez'gha:r

winter

kış

kesh

Natural Features

Doğal Görüntüler

Do:al Goe'rue'tue'ler

cave

mağara

ma:aara

cliff

uçurum

uchu'room

desert

çöl

choe:l

earthquake

deprem

dep'rem

island

ada

aa'da

lake

göl

goel

mountain
dağ
daa:

river
nehir
ne'heer

sand
kum
koom

sea
deniz
de'niz

soil
toprak
top'raak

volcano
volkan
vol'kaan

waterfall
şelale
she'laa'le

waves
dalgalar
dal'gha'laar

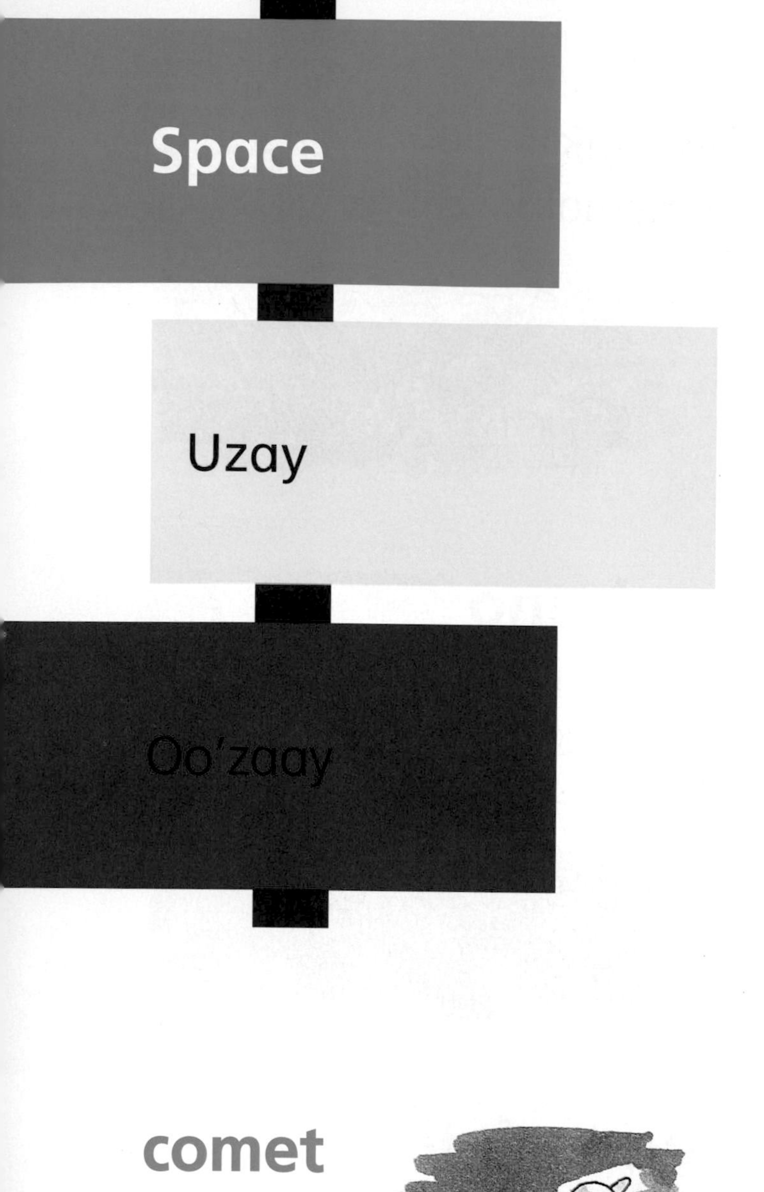

Space

Uzay

Oo'zaay

moon
ay
aay

rocket
roket
ro'ket

comet
kuyrukluyıldız
kooy'rook'loo'yel'dez

satellite
uydu
ooy'doo

Earth
dünya
duen'yaa

stars
yıldızlar
yel'dez'laar

People at Work

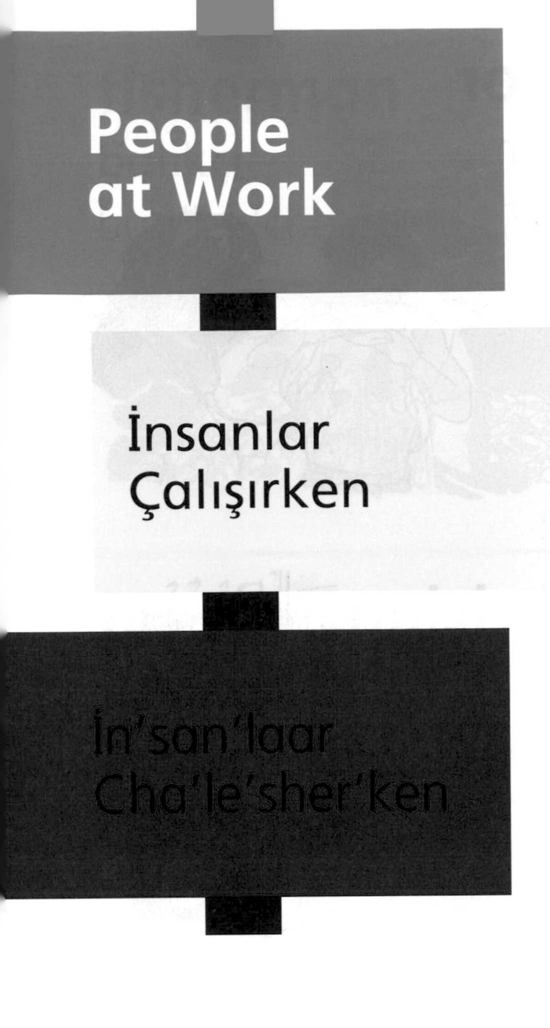

İnsanlar Çalışırken

In'san'laar Cha'le'sher'ken

baker
ekmekçi
ek'mek'chi

builder
inşaat işçisi
in'shaa'at ish'chi'si

acrobat
akrobat
ak'ro'baat

businessman
iş adamı
ish aa'daa'me

artist
ressam
res'sa:m

butcher
kasap
kaa'saap

people
halk
haalk

pilot
pilot
pi'lot

plumber
boru tamircisi
bo'roo
taa'mir'dji'si

policeman
polis
po'lis

policewoman
kadın polis
ka'den po'lis

postman
postacı
pos'ta'dje

sailor
denizci
de'niz'dji

scientist
bilim adamı
bi'lim
aa'daa'me

secretary

sekreter

sek're'ter

shopkeeper

dükkân sahibi

duek'ka:n
saa'hi'bi

soldier

asker

aas'ker

teacher

öğretmen

oe:ret'men

train driver

makinist

maa'ki'nist

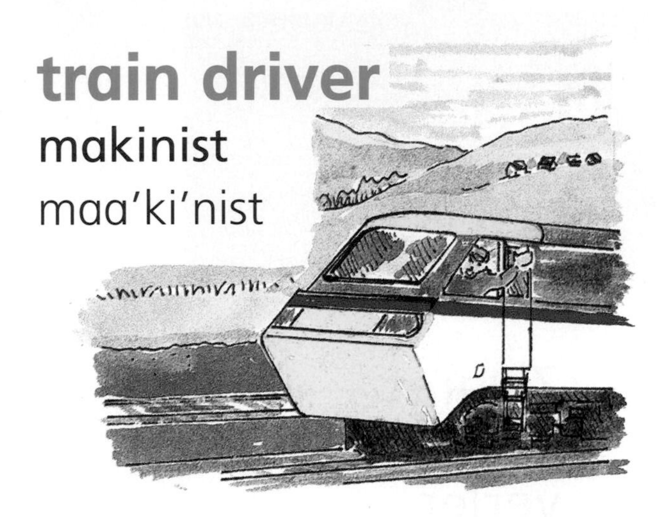

vet

veteriner

ve'te'ri'ner

waiter

garson

gaar'son

waitress

kadın garson

kaa'den
gaar'son

Places we Visit

Ziyaret ettiğimiz yerler

Zhi'yaa'ret et'ti:ee'miz yer'ler

bank
banka
baan'ka

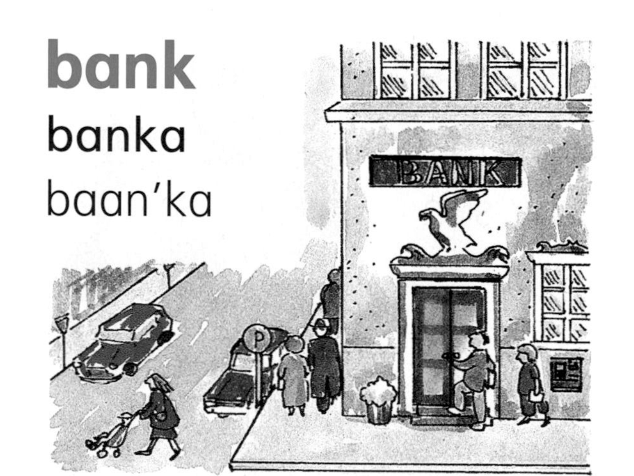

church
kilise
ki'li'se

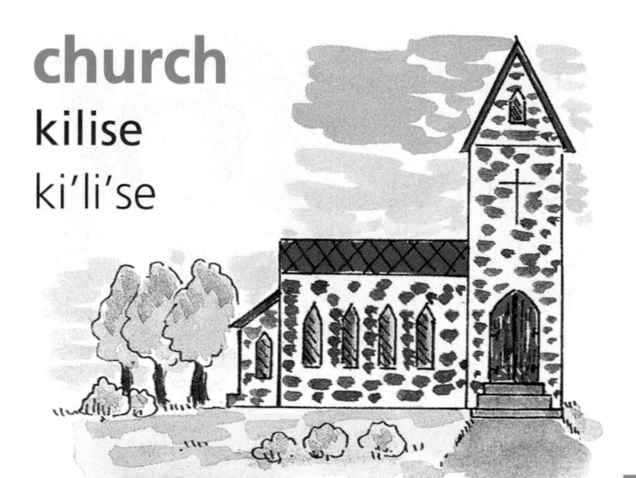

cinema
sinema
si'ne'ma

factory
fabrika
faab'ri'kaa

farm
çiftlik
chift'lik

fire station
itfaiye binası
it'fa:ee'ye bi'naa'se

hospital

hastane

haas'ta'ne

hotel

otel

o'tel

library

kütüphane

kue'tuep'haa'ne

market

pazar

paa'zaar

mosque

cami

dja'mi

museum

müze

mue'ze

office

büro

bue'ro

park

park

paark

police station

karakol

kaa'ra'kol

post office

postane

pos'taa'ne

queue

kuyruk

kooy'rook

restaurant

lokanta

lo'kaan'ta

school

okul

o'kool

shop

dükkân

duek'ka:n

sports centre

spor merkezi

spor mer'ke'zi

supermarket

süpermarket

sue'permaar'ket

Transport and Communications

Ulaşım ve İletişim

Oo'laa'shem ve Ee'le'ti'shim

aeroplane
uçak
oo'chaak

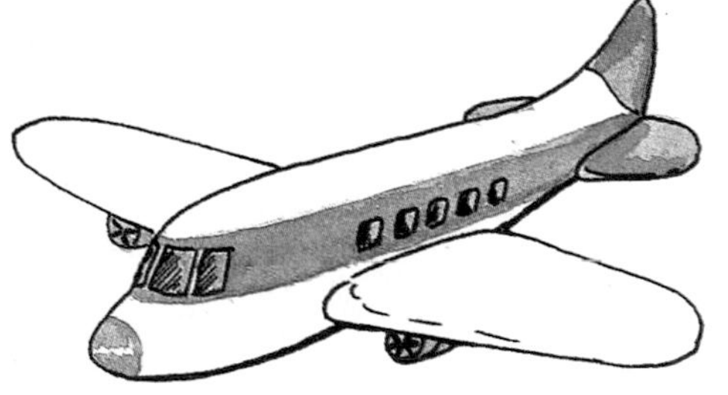

airport
hava alanı
haa'va aala'ne

ambulance
ambulans
aam'boo'laans

balloon
balon
baa'lon

barge
mavna
maav'na

bicycle
bisiklet
bi'sik'let

boat

kayık

kaa'yek

bridge

köprü

koep'rue

bus

otobüs

o'to'bues

canoe

kano

kaa'no

car

araba

a'ra'ba

caravan

seyyar ev

sey'yaar ev

car park

araba parkı

aa'ra'ba paar'ke

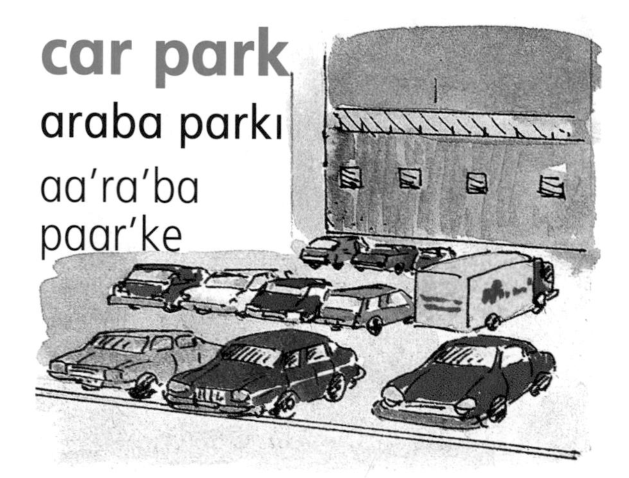

coach

yolcu otobüsü

yol'djoo o'to'bue'sue

engine
motor
mo'tor:

envelope
zarf
zaarf

fax machine
faks makinesi
faaks
ma'ki'ne'si

ferry
feribot
fe'ri'bot

fire-engine
itfaiye arabası
it'faa'ee'ye aa'ra'ba'se

helicopter
helikopter
he'li'kop'ter

letter
mektup
mek'toop

lift
asansör
aasan'soer

lighthouse

deniz feneri

de'niz fe'ne'ri

lorry

kamyon

kaam'yon

motorbike

motosiklet

mo'to'sik'let

motorway

otoyol

o'to'yol

oar

kürek

kue'rek

parachute

paraşüt

pa'ra'shuet

parcel

paket

paa'ket

passenger

yolcu

yol'djoo

petrol pump

benzin doldurma pompası

ben'zin dol'dur'ma pom'pa'se

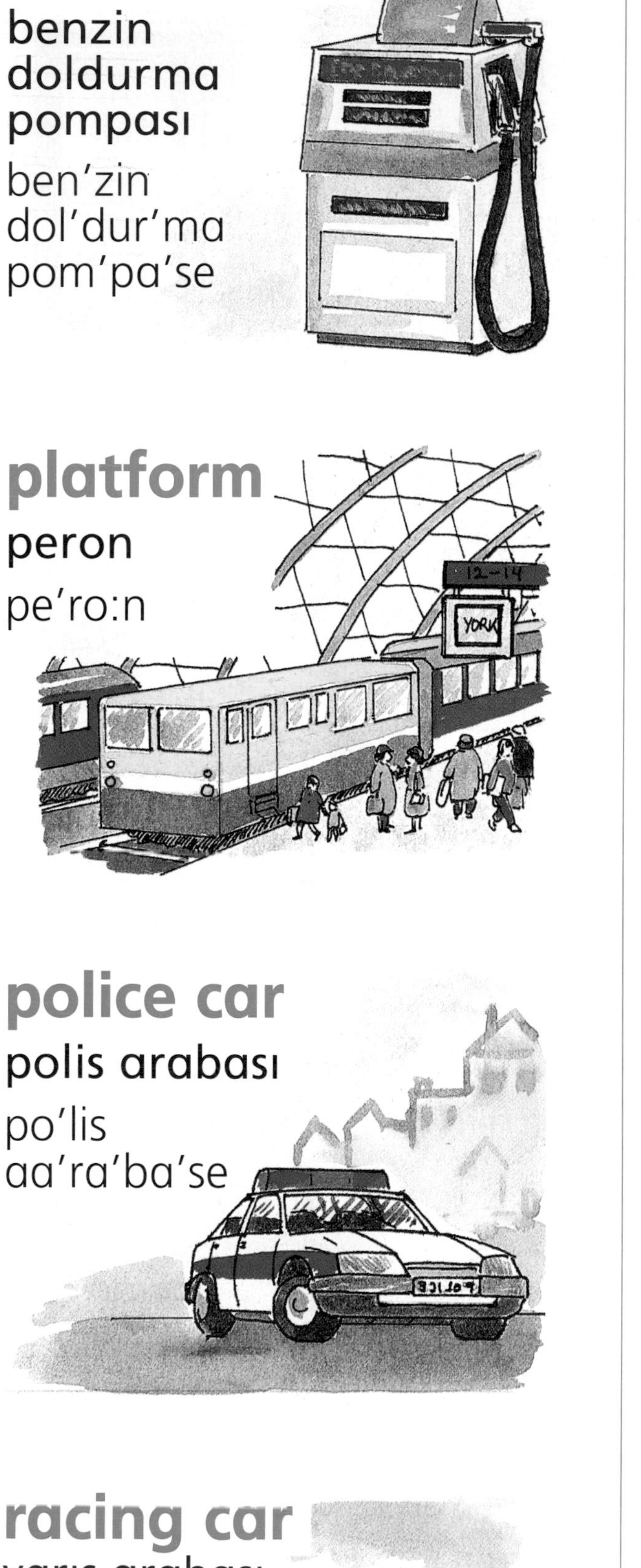

platform

peron

pe'ro:n

police car

polis arabası

po'lis aa'ra'ba'se

racing car

yarış arabası

yaa'resh aa'ra'ba'se

road

yol

yol

ship

gemi

ghe'mee

stamp

pul

pool

station

istasyon

is'taas'yon

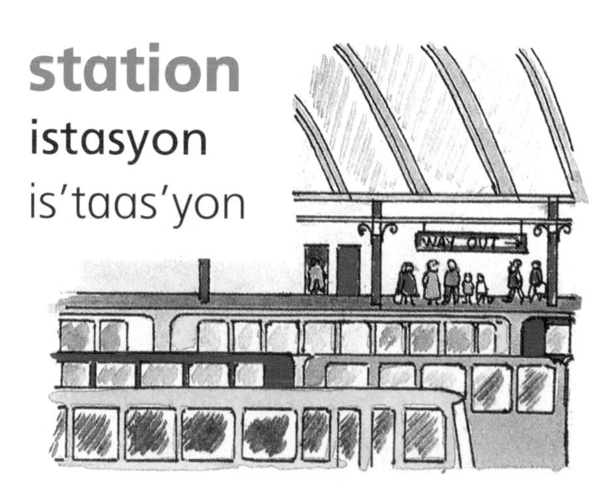

submarine

denizaltı

de'niz'aal'te

tanker

tanker

taan'ker

taxi

taksi

taak'si

telephone

telefon

te'le'fon

telephone box

telefon kabini

te'le'fon
kaa'bi'ni

ticket

bilet

bi'let

tractor

traktör

trak'toer

traffic lights

trafik ışıkları

traa'fik
e'shek'la're

trailer
römork
roe'mor:k

train
tren
tren

tunnel
tünel
tue'nell

van
kamyonet
kaam'yo'net

wagon
vagon
vaa'go:n

wheel
tekerlek
te'ker'lek

wheelchair
tekerlekli sandalye
te'ker'lek'li saan'dal'ye

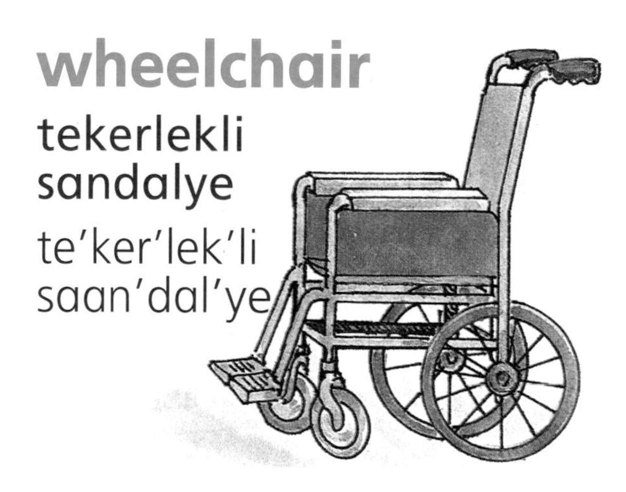

yacht
yat
yaat

Toys, Games and Musical Instruments

Oyuncaklar, Oyunlar ve Müzik Âletleri

Oyun'djak'laar, Oyun'laar ve Muezik Aalet'le'ri

ball

top

top

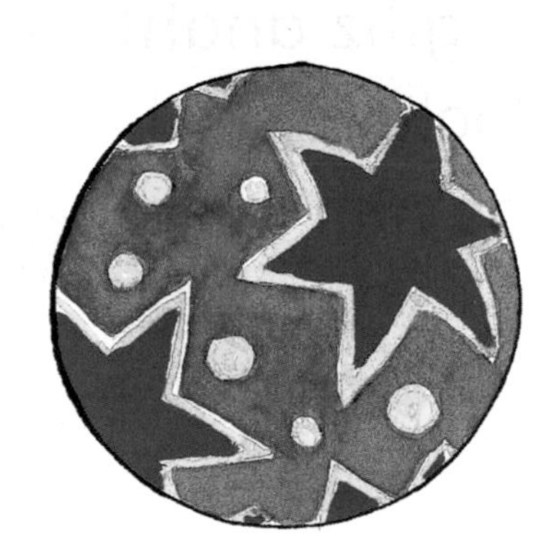

balloon

balon

baa'lo:n

bat

kriket sopası

kri'kett so'pa:se

bicycle

bisiklet

bi'sik'let

bricks

tuğlalar

too:laa'laar

cards

kartlar

kaart'laar

chess
satranç
saat'ra:nch

comic
çizgi roman
chiz'ghi
ro'maan

crayons
mum boya
moom bo'yaa

cricket
kriket
kri'kett

dancing
dans etme
daans et'me

dice
zar
zaar

draughts
dama
daa'ma

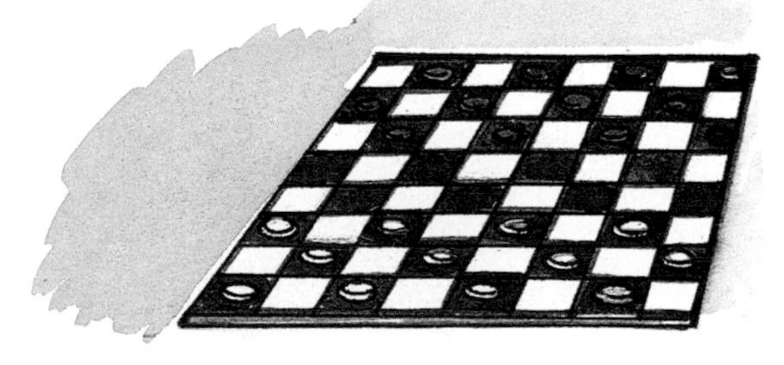

drum
trampet
tram'pet

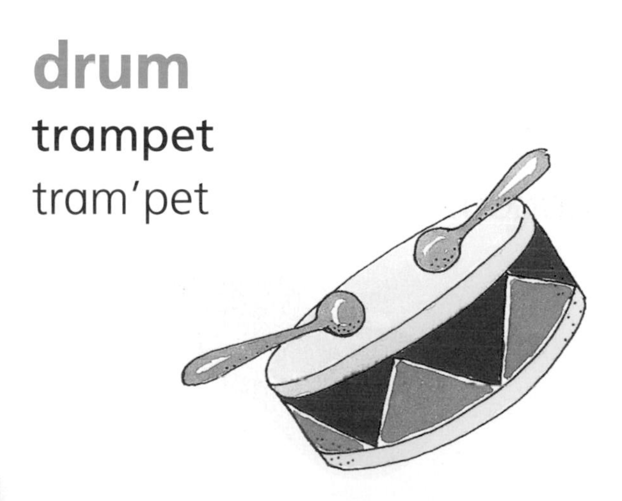

flute
flüt
flue:t

football
futbol
footbol

golf
golf
golf

guitar
gitar
ghitaar

gymnastics
beden eğitimi
be'den e:e:ti'mi

harp
harp
haarp

horse riding
binicilik
bi'ni'dji'lik

jigsaw
jigsaw
djig'sow

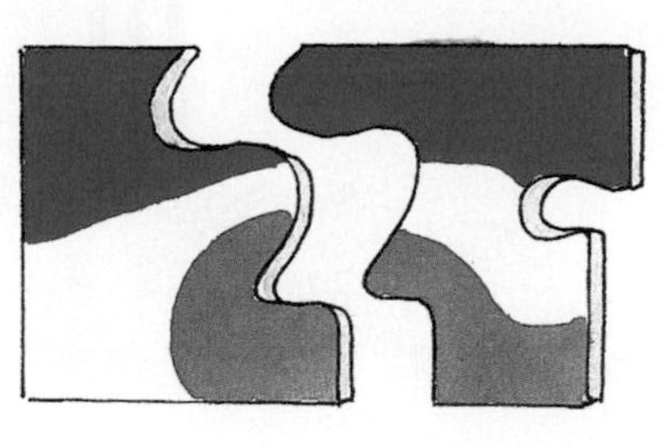

jumping

atlama

aat'la'ma

kite

uçurtma

oo'choort'ma

mask

maske

maas'ke

paintbrush

boya fırçası

bo'yaa fer'chaa'se

paints

boyalar

bo'ya'laar

piano

piyano

pi'ya'no

puppet

kukla

kook'la

recorder

teyp

teyp

roller boots

tekerlekli paten çizmeleri

te'ker'lekli pa'ten chiz'me'le'ri

roundabout

atlı karınca

aat'le kaa'ren'dja

rounders

rounders

raunders

running

koşma

kosh'ma

seesaw

tahteravalli

taah'te'ra'valli

skipping-rope

atlama ipi

aat'la'ma ee'pi

slide

kaydırak

kaay'de'raak

swimming

yüzme

yuez'me

swing
salıncak
sa'len'djaak

table tennis
masa tenisi
maa'sa te'ni'si

tambourine
tef
tef

tennis
tenis
te'nis

trombone
trombon
trom'bon

trumpet
borazan
bo'raa'zaan

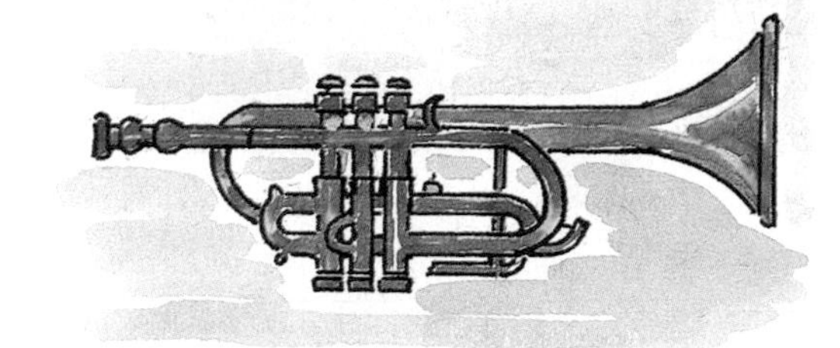

violin
keman
ke'maan

xylophone
ksilofon
ksi'lo'fon

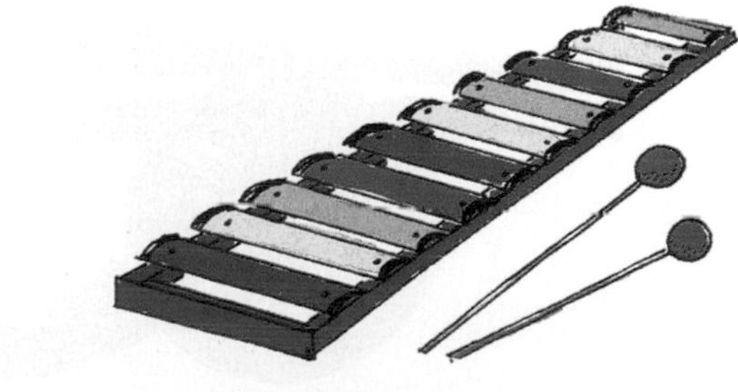

Fantasy and Imagination

Fantezi ve
Hayal Gücü

Fan'te'zi ve
Ha'yaal Gue'djue

angel
melek
me'lek

cannon
top
top

castle
şato
shaa'to

circus
sirk
seerk

clown
soytarı
soy'ta're

crown
tâç
taa:ch

dragon
ejderha
ezh'der'haa

ghost
hayalet
haa'yaa'let

giant
dev
dev

king
kral
kraal

magician
sihirbaz
si'hir'baaz

monster
canavar
djaa'na'vaar

palace
saray
saa'raay

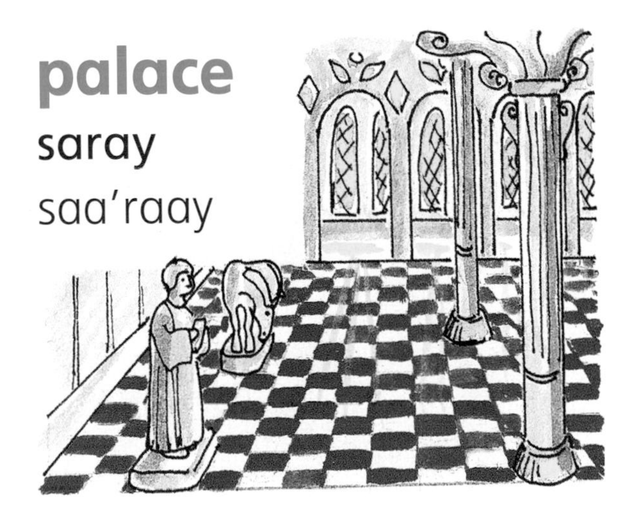

pirate
korsan
ko:r'saan

prince
prens
prens

princess
prenses
prense:s

prison
hapisane
ha'pi'saa'ne

queen
kraliçe
kraa'li'che

sword
kılıç
ke'lech

treasure
hazine
haa'zi'ne

witch
cadı
dja'de

wizard
erkek cadı
er'kek dja'de

Numbers and Shapes

Sayılar ve Şekiller

Saa'ye'laar ve She'kil'ler

one
bir
beer

two
iki
ee'ki

three
üç
uech

four
dört
doe:rt

five
beş
be:sh

six
altı
aal'te

seven
yedi
ye'di

eight
sekiz
se'kiz

nine
dokuz
do'kooz

ten
on
on

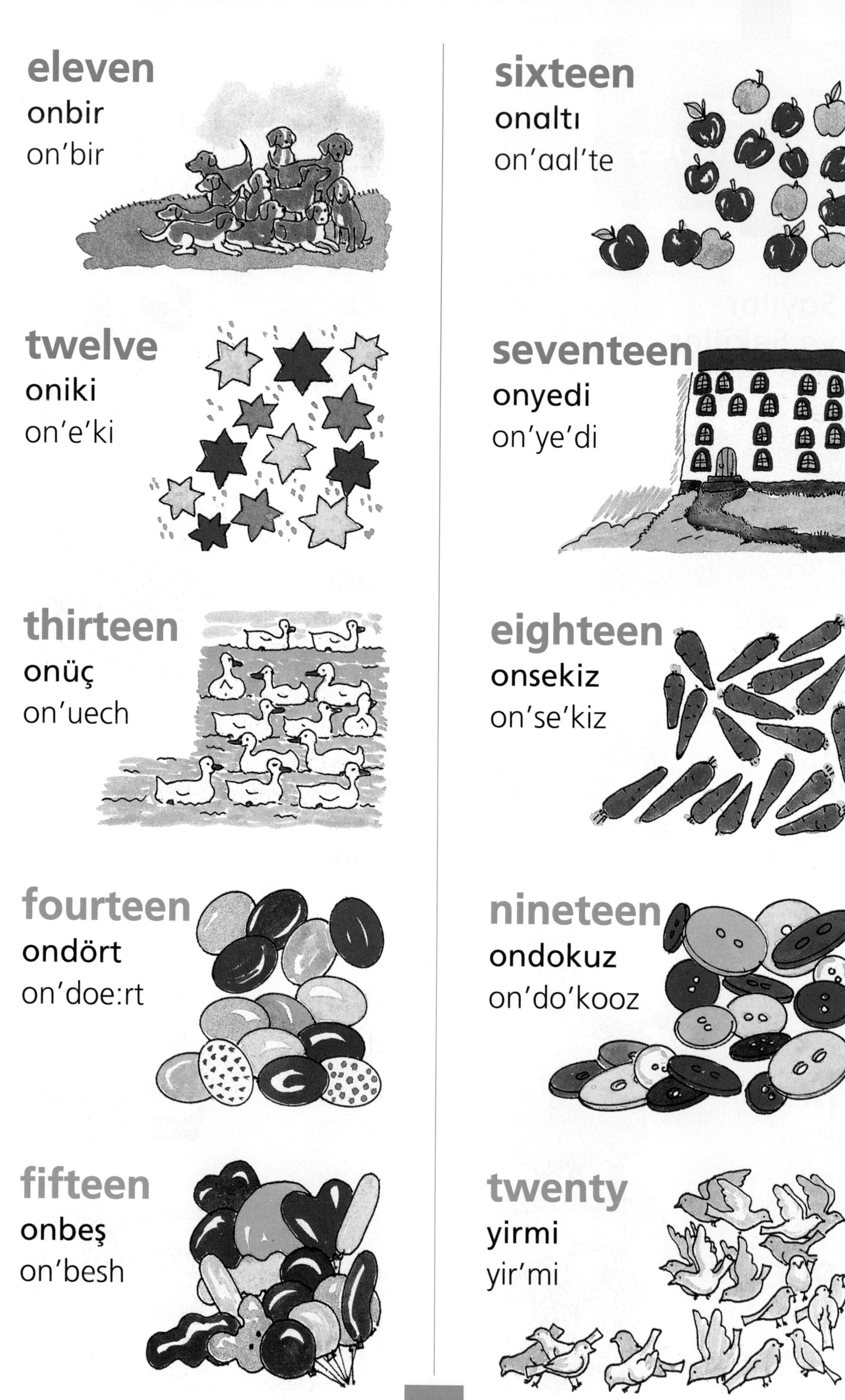

eleven
onbir
on'bir

twelve
oniki
on'e'ki

thirteen
onüç
on'uech

fourteen
ondört
on'doe:rt

fifteen
onbeş
on'besh

sixteen
onaltı
on'aal'te

seventeen
onyedi
on'ye'di

eighteen
onsekiz
on'se'kiz

nineteen
ondokuz
on'do'kooz

twenty
yirmi
yir'mi

circle
daire
daa'e're

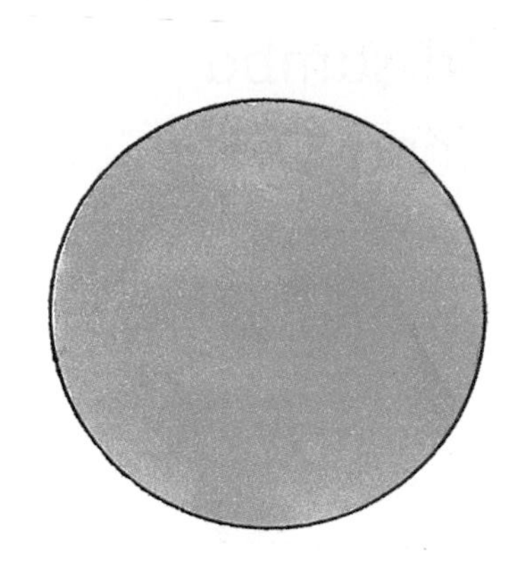

cube
küp
kuep

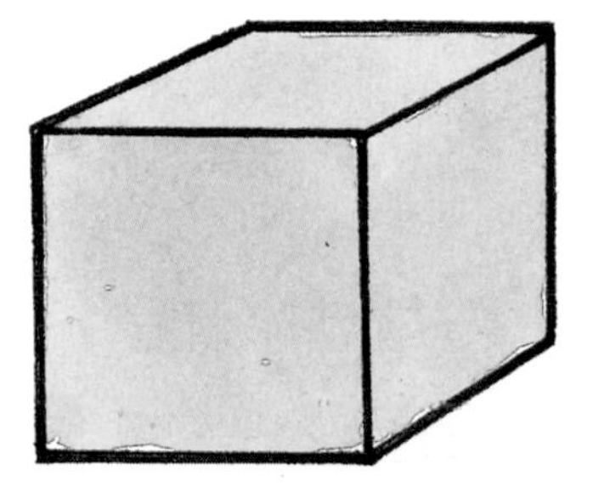

cylinder
silindir
si'lin'dir

diamond
karo
kaa:ro

oval
yumurta şeklinde
yoo'moor'ta sheklinde

rectangle
dikdörtgen
dik'doe:rt'ghen

square
kare
kaa:re

triangle
üçgen
uech'ghen

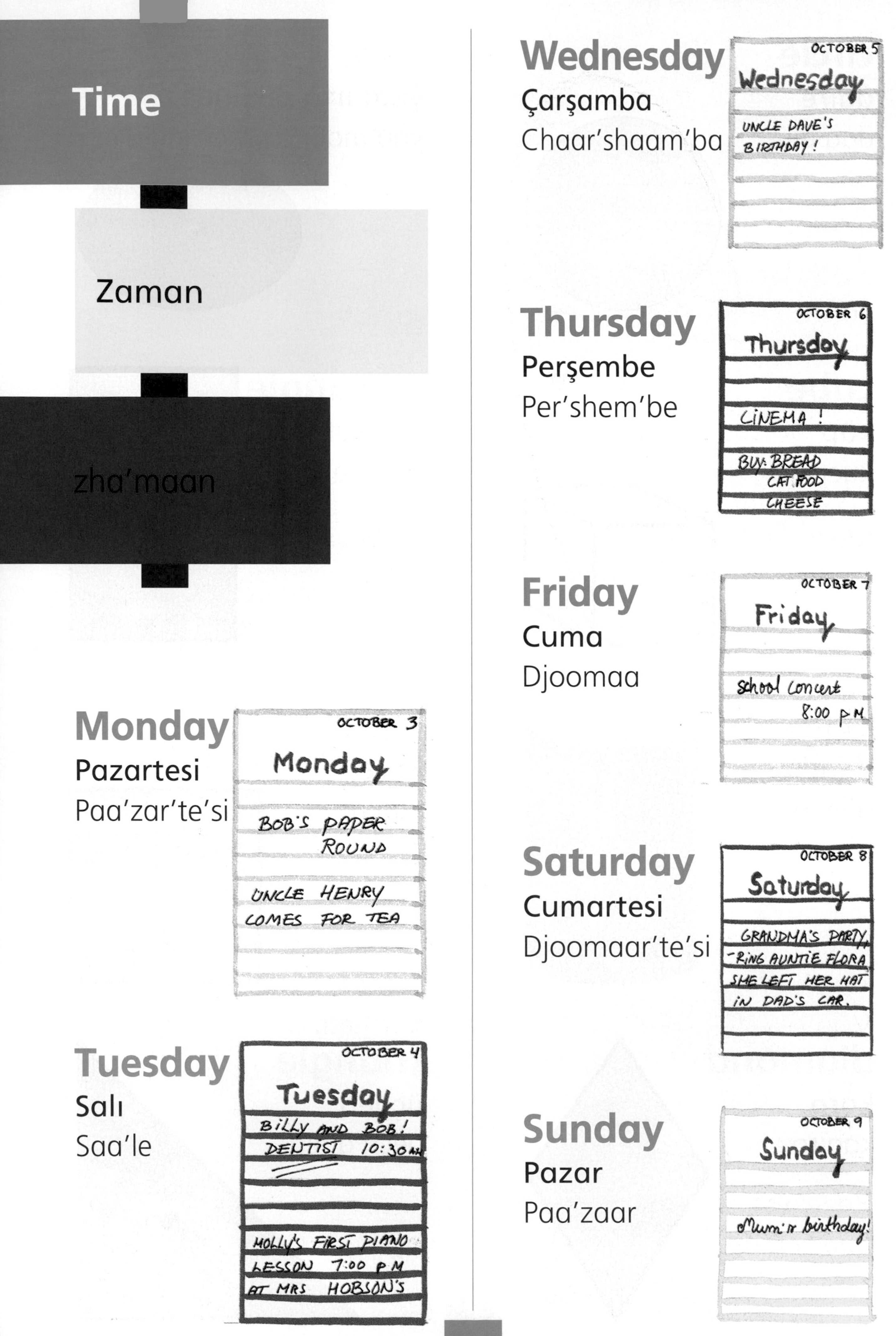
Time
Zaman
zha'maan
Monday
Pazartesi
Paa'zar'te'si
OCTOBER 3
Monday
BOB'S PAPER ROUND
UNCLE HENRY COMES FOR TEA
Tuesday
Salı
Saa'le
OCTOBER 4
Tuesday
BILLY AND BOB!
DENTIST 10:30 AM
MOLLY'S FIRST PIANO LESSON 7:00 PM AT MRS HOBSON'S
Wednesday
Çarşamba
Chaar'shaam'ba
OCTOBER 5
Wednesday
UNCLE DAVE'S BIRTHDAY!
Thursday
Perşembe
Per'shem'be
OCTOBER 6
Thursday
CINEMA!
BUY: BREAD
CAT FOOD
CHEESE
Friday
Cuma
Djoomaa
OCTOBER 7
Friday
school concert 8:00 PM
Saturday
Cumartesi
Djoomaar'te'si
OCTOBER 8
Saturday
GRANDMA'S PARTY.
- RING AUNTIE FLORA
SHE LEFT HER HAT IN DAD'S CAR.
Sunday
Pazar
Paa'zaar
OCTOBER 9
Sunday
Mum's birthday!

January
Ocak
O'djaak

February
Şubat
Shoo'baat

March
Mart
Maart

April
Nisan
Nee'saan

May
Mayıs
Maa'yes

June
Haziran
Haa'zi'raan

July
Temmuz
Tem'mooz

August
Ağustos
Aa'oos'tos

September
Eylül
Ey'luel

October
Ekim
E'kim

November
Kasım
Kaa'sem

December
Aralık
Aa'raa'lek

daytime
gün içinde
ghuen i'chın'de

night-time
geceleyin
gedje'le'yin

morning
sabah
saa'baah

midday
günortası
guen'or'taa'se

afternoon
öğleden sonra
oe:le'den son'ra

evening
akşam
aak'shaam

sunrise
gündoğumu
ghuen'do:u'mu

sunset
günbatımı
guen'baa'te'me

o'clock

saat

saa:t

half-past

buçuk

boo'chook

quarter-past

çeyrek geçiyor

chey'rek ghe'chi'yor

quarter to

çeyrek var

chey'rek vaar

breakfast

kahvaltı

kaah'vaal'te

lunch

öğle yemeği

oe:le ye'me:e

tea

çay

chaay

supper

hafif akşam yemeği

haa'fif aak'sham ye'me:e

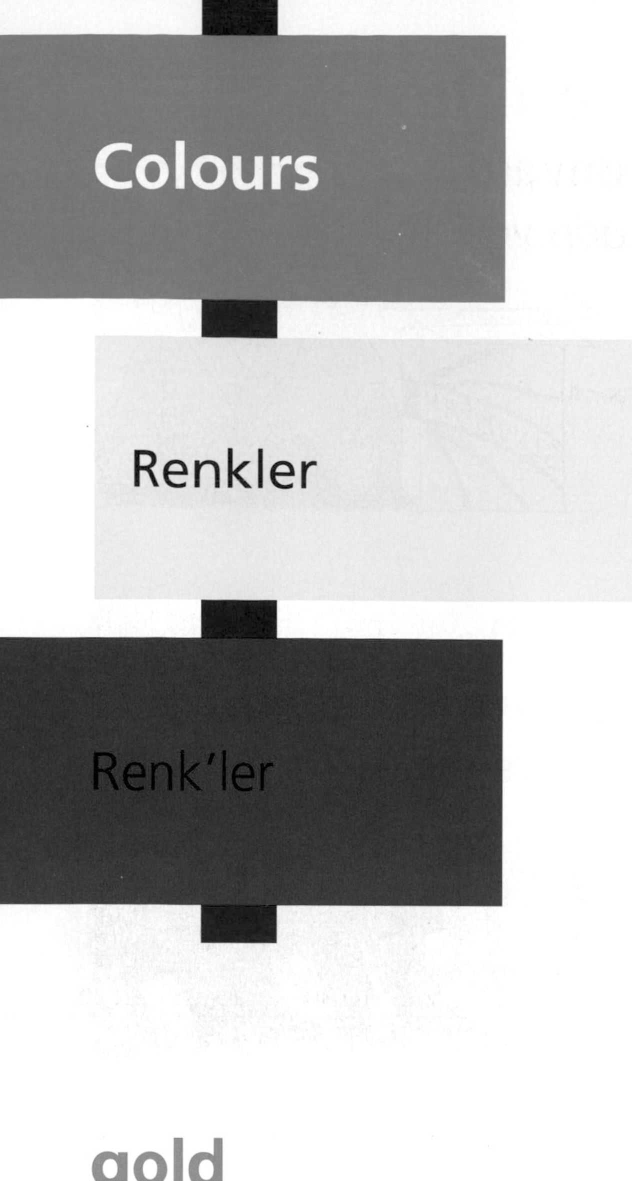

Colours

Renkler

Renk'ler

gold

altın sarısı

aal'ten saa're'se

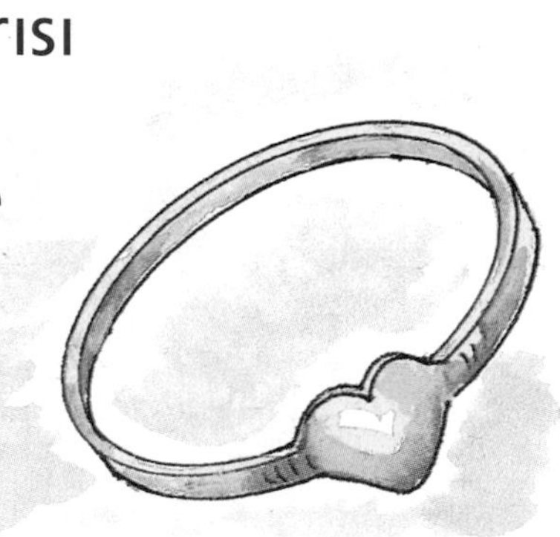

silver

gümüş rengi

gue'muesh renghi

black

siyah

si'yaah

blue

mavi

maa'vi

brown

kahverengi

kaah've'renghi

green

yeşil

ye'shil

grey
gri
ghree
orange
portakal rengi
por'taa'kal renghi
pink
pembe
pem'be
purple
mor
mo:r
red
kırmızı
ker'me'ze
violet
menekşe rengi
me'nek'she renghi
white
beyaz
be'yaaz
yellow
sarı
saa're

Adjectives

Sıfatlar

Se'faat'laar

back
arka
aar'ka

front
ön
oen

clean
temiz
te'miz

dirty
kirli
kir'li

cold
soğuk
so:ook

hot
sıcak
se'djaak

empty
boş
bosh

full
dolu
do'loo

fast
hızlı
hez'le

slow
yavaş
yaa'vaash

happy
mutlu
moot'loo

sad
mahzun
maah'zun

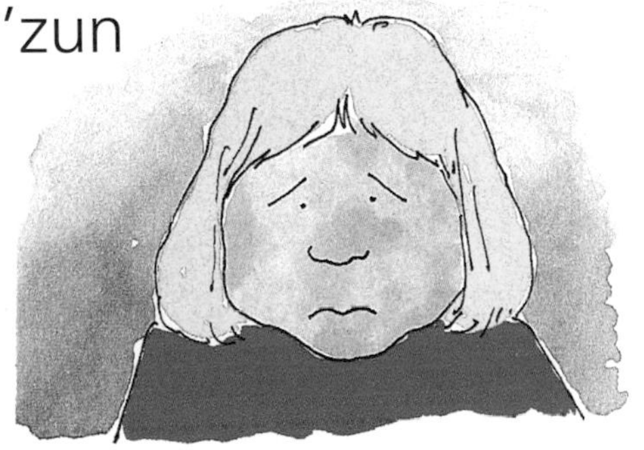

heavy
ağır
a:er

light
hafif
haa'fif

large
büyük
bue'yuek

long
uzun
oo'zoon

narrow
dar
daar

old
yaşlı
yaash'le

small
küçük
kue'chuek

short
kısa
ke'saa

wide
geniş
ghe'nish

young
genç
ghench

Word list

Aa

acrobat 53
aeroplane 61
afternoon 84
airport 61
ambulance 61
angel 76
ankle 4
apple 29
April 83
apron 4
arm 4
artist 53
August 83
autumn 48

Bb

baby 14
back 4, 88
badge 4
badger 38
baker 53
ball 70
balloon 61, 70
banana 29
bandage 14
bank 58
barge 61
bat 70
bath 14
battery 14
bear 38
bed 14
beetle 38
bell 14
belt 4
bicycle 61, 70
bird 38
biscuit 29
black 86
blouse 5
blue 86
boat 62
book 15
boots 5
bottle 15
bowl 15
boy 15
bread 29
breakfast 85
bricks 70
bridge 62
brother 15
brown 86
brush 15
bucket 15
buckle 5
builder 53
bus 62
bush 46
businessman 53
butcher 53
butter 29
butterfly 38
buttons 5

Cc

cabbage 29
cactus 46
cake 30
calculator 68
calendar 15
camel 38
camera 68
cannon 76
canoe 62
cap 5
car 62
caravan 62
cardigan 5
cards 70
car park 62
carpenter 54
carpet 16
carrot 30
castle 76
cat 39
caterpillar 39
cauliflower 30
cave 50
cereal 30
chair 16
chapatti 30
cheek 5
cheese 30
cherry 30
chess 71
chest 5
children 16
chimney 16
chin 6
chocolate 30
church 58
cinema 58
circle 81
circus 76
clean 88
cliff 50
clock 16
cloud 48
clown 76
coach 62
coat 6
coffee 31
cold 88
comet 52
comic 71
computer 68
cook 54
cooker 16
cow 39
crab 39

Hh

hair 7
hairdresser 55
half-past 85
hamburger 32
hammer 69
hand 7
handkerchief 7
happy 89
harp 72
hat 8
head 8
heavy 89
hedgehog 41
helicopter 63
helmet 8
hen 41
hippopotamus 42
honey 32
hook 19
horse 42
horse riding 72
hose 19
hospital 59
hot 88
hotel 59
house 19

Ii

ice-cream 32
insect 42
iron 19
island 50

Jj

jacket 8
jam 32
January 83
jeans 8
jelly 32
jigsaw 72
judge 55
jug 19
July 83
jumper 8
jumping 73
June 83

Kk

kangaroo 42
kettle 20
key 20
king 77
kite 73
knee 8
knife 20

Ll

laces 8
ladder 20
ladybird 42
lake 50
lamp 20
large 90
lawn 20
leaf 47
leg 9
lemon 32
leopard 42
letter 63
lettuce 32
library 59
lift 63
light 89
light bulb 20
lighthouse 64
lion 42
lips 9
lizard 42
loaf 33
lobster 43
long 90
lorry 64
lorry driver 55
lunch 85

Mm

magazine 20
magician 77
man 21
March 83
margarine 33
market 59
mask 73
match 21
May 83
meat 33
mechanic 55
medicine 21
melon 33
microwave 21
midday 84
milk 33
mirror 21
Monday 82
money 21
monkey 43
monster 77
Months of the year: 83
moon 52
morning 84
mosque 59
mother 21
motorbike 64
motorway 64
mountain 51
mouse 43
mouth 9
mug 21
museum 59
mushroom 33
musician 55

Nn

nail 9
narrow 90
neck 9
necklace 9
needle 22
newspaper 22

Tt